전면 개정판

독해의 확실한 해결책

THIS IS
READING

3

THIS IS READING 전면 개정판 ❸

지은이 넥서스영어교육연구소
펴낸이 임상진
펴낸곳 (주)넥서스

출판신고 1992년 4월 3일 제311-2002-2호 [2-15]
10880 경기도 파주시 지목로 5
Tel (02)330-5500 Fax (02)330-5555

ISBN 979-11-5752-771-7 54740
      979-11-5752-768-7 (SET)

www.nexusEDU.kr

전면 개정판

THIS IS

독해의
확실한 해결책

READING

넥서스영어교육연구소 지음

3

NEXUS Edu

완전 새로운 전면 개정판 소개

1

누구나 관심 있고 흥미로운 소재의 다양한 지문을 실었습니다.

2

QR 코드를 스캔만 하면 책 전체 모든 지문을 생생한 원어민의 발음으로 들을 수 있습니다.

3

지문을 읽을 때 그때그때 꼭 알아야 할 필수 문법을 예문과 함께 정리했습니다. 학교 내신 대비뿐만 아니라 모든 문법 문제에 자신감을 키워 주는 필수 문법입니다.

---

01 | A Day for Love

Saint Valentine's Day is celebrated in many countries on February 14th. It is a special day when people exchange gifts and cards with their loved ones. Chocolates, flowers, and wine are all very popular Valentine's Day gifts. Cupid, the winged baby archer, is the mascot of Saint Valentine's Day. It is believed that he uses his magic arrows to make young couples fall in love instantly.

The history of Valentine's Day is not clear, but many people believe that the holiday started in Roman times. The holiday is named after one of two early Christian martyrs named Valentine. People still don't know exactly which Valentine the holiday was named after.

At first, valentines were love notes which were written on a simple piece of paper. Over the centuries, the holiday gradually changed, and by the 18th century, exchanging handmade cards on Valentine's Day had become common in England. The tradition of Valentine's cards did not become widespread in the United States, however, until the 1850s. Today, of course, Valentine's Day is one of the biggest holidays in the United States, and it is celebrated all over the world. According to the Greeting Card Association, about one billion Valentine's cards are sent each year worldwide.

Grammar Note

8행: It is believed that ~
believe는 that절을 목적어로 취할 수 있으며 이때 that절을 주어 자리로 보내서 수동태를 만들 수 있는데, that절 대신 가주어 it이 쓰인 형태인 It is believe that ~으로 많이 쓰임.
It is believed that George is from Canada.
조지는 캐나다 출신이라고 믿어진다.

17행: not ~ until ~
[not ~ until A]는 직역하면 'A 할 때까지 ~하지 않다'는 의미인데, 이 말은 'A 이후에야 ~하다'는 의미로 사용됨.
The job won't be finished until tomorrow.
내일이 되어야 작업이 끝날 것이다.

10

ReviewTest

4개의 지문으로 이루어져 있는 각 UNIT이 끝날 때마다 문법, 어휘, 문장 배열 등 다양한 10개의 문제를 풀면서 한 번 더 복습합니다.

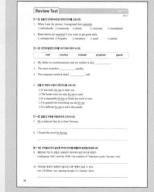

1 이 글의 주제로 가장 알맞은 것은?

① 기념 카드 산업의 급속한 발전
② 사랑을 기념하는 축제일의 역사
③ 밸런타인데이 선물을 교환하는 전통
④ 밸런타인데이와 밸런타인 카드의 기원
⑤ 밸런타인데이에 연인들을 위한 특별한 행사

2 이 글의 내용과 일치하면 T, 그렇지 않으면 F를 쓰시오.

(1) 밸런타인데이의 이름은 마스코트의 이름에서 따왔다. ____
(2) 많은 사람들이 밸런타인데이가 로마 시대에 시작되었다고 믿는다. ____
(3) 밸런타인데이의 전통은 미국에서 시작되었다. ____

3 이 글의 밑줄 친 common과 의미가 가장 가까운 것은?

① rare   ② same
③ various   ④ frequent
⑤ different

4 이 글에서 유추할 수 있는 내용은 무엇인가?

① 밸런타인데이는 나라마다 다르다.
② 밸런타인데이는 유럽에서만 인기 있는 기념일이다.
③ 밸런타인데이에 카드를 보내는 전통은 사라지고 있다.
④ 사람들은 밸런타인데이의 기원을 확실히 알지 못한다.
⑤ 원래 밸런타인데이는 연인끼리 선물을 교환하는 것이었다.

WORDS

celebrate [sélabrèit] ⑧ 기념하다, 축하하다
exchange [ikstʃéindʒ] ⑧ ~을 교환하다
winged [wiŋd] ⑱ 날개가 있는
archer [áːrtʃər] ⑱ 활 쏘는 사람 (궁수)
mascot [mǽskət] ⑱ 마스코트, 행운을 가져다주는 사람(동물)
instantly [ínstəntli] ⑨ 즉시, 당장
clear [klíər] ⑱ 분명한
name after ~의 이름을 따서 명명하다
martyr [máːrtər] ⑱ (기독교의) 순교자, 희생자
gradually [grǽdʒəwəli] ⑨ 점차적으로
handmade [hǽndméid] ⑱ 손으로 만든, 수제의
widespread [wáidspréd] ⑱ 널리 퍼진, 보급된
association [əsòusiéiʃən] ⑱ 협회, 단체, 조합
worldwide [wɔ́ːrldwáid] ⑨ 전 세계적으로

4

지문을 잘 이해했는지 확인하는
4문제로 지문에 따라 객관식, 주관식
다양하게 출제했습니다.

5

지문에 등장한 주요 어휘를 꼼꼼하게
정리했습니다.

6

문장을 의역하지 않고
바로바로 해석하는 훈련을
할 수 있습니다.

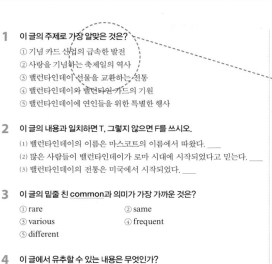

🔹 **직독직해**

It is a special day / when people exchange gifts and cards / with their loved ones.
_____

People / still / don't know / exactly / which Valentine / the holiday was named after.
_____

About / one billion Valentine's cards / are sent / each year / worldwide.
_____

Workbook

완벽한 마무리를 위한 워크북.
지문 요약, 단어 확인, 통문장 영작 문제를
풀면서 실력을 다집니다.

Contents

Workbook

정답 및 해설

01
UNIT

A Day for Love

Saint Valentine's Day is celebrated in many countries on February 14th. It is a special day when people exchange gifts and cards with their loved ones. Chocolates, flowers, and wine are all very popular Valentine's Day gifts. Cupid, the winged baby archer, is the mascot of Saint Valentine's Day. It is believed that he uses his magic arrows to make young couples fall in love instantly.

The history of Valentine's Day is not clear, but many people believe that the holiday started in Roman times. The holiday is named after one of two early Christian martyrs named Valentine. People still don't know exactly which Valentine the holiday was named after.

At first, valentines were love notes which were written on a simple piece of paper. Over the centuries, the holiday gradually changed, and by the 18th century, exchanging handmade cards on Valentine's Day had become <u>common</u> in England. The tradition of Valentine's cards did not become widespread in the United States, however, until the 1850s. Today, of course, Valentine's Day is one of the biggest holidays in the United States, and it is celebrated all over the world. According to the Greeting Card Association, about one billion Valentine's cards are sent each year worldwide.

Grammar Note

8행: It is believed that ~
believe는 that절을 목적어로 취할 수 있으며 이때 that절을 주어 자리로 보내서 수동태를 만들 수 있는데, that절 대신 가주어 it이 쓰인 형태인 It is believe that ~으로 많이 쓰임.
It is believed that George is from Canada.
조지는 캐나다 출신이라고 믿어진다.

17행: not ~ until ~
[not ~ until A]는 직역하면 'A 할 때까지 ~하지 않다'는 의미인데, 이 말은 'A 이후에야 ~하다'는 의미로 사용됨.
The job won't be finished until tomorrow.
내일이 되어야 작업이 끝날 것이다.

1 이 글의 주제로 가장 알맞은 것은?

① 기념 카드 산업의 급속한 발전
② 사랑을 기념하는 축제일의 역사
③ 밸런타인데이 선물을 교환하는 전통
④ 밸런타인데이와 밸런타인 카드의 기원
⑤ 밸런타인데이에 연인들을 위한 특별한 행사

2 이 글의 내용과 일치하면 T, 그렇지 않으면 F를 쓰시오.

(1) 밸런타인데이의 이름은 마스코트의 이름에서 따왔다. ＿＿
(2) 많은 사람들이 밸런타인데이가 로마 시대에 시작되었다고 믿는다. ＿＿
(3) 밸런타인데이 카드 교환은 미국에서 시작되었다. ＿＿

3 이 글의 밑줄 친 common과 의미가 가장 가까운 것은?

① rare
② same
③ various
④ frequent
⑤ different

4 이 글에서 유추할 수 있는 내용은 무엇인가?

① 밸런타인데이는 나라마다 다르다.
② 밸런타인데이는 유럽에서만 인기 있는 기념일이다.
③ 밸런타인데이에 카드를 보내는 전통은 사라지고 있다.
④ 사람들은 밸런타인데이의 기원을 확실히 알지 못한다.
⑤ 원래 밸런타인데이는 연인끼리 선물을 교환하는 것이었다.

WORDS

celebrate [sélǝbrèit] 통 기념하다, 축하하다
exchange [ikstʃéindʒ] 통 ~을 교환하다
winged [wiŋd] 형 날개가 있는
archer [ɑ́:rtʃǝr] 명 활 쏘는 사람(궁수)
mascot [mǽskǝt] 명 마스코트, 행운을 가져다주는 사람(동물)
instantly [ínstǝntli] 부 즉시, 당장
clear [kliǝr] 형 분명한
name after ~의 이름을 따서 명명하다
martyr [mɑ́:rtǝr] 명 (기독교의) 순교자, 희생자
gradually [grǽdʒǝwǝli] 부 점차적으로
handmade [hǽndméid] 형 손으로 만든, 수제의
widespread [wáidspréd] 형 널리 퍼진, 보급된
association [ǝsòusiéiʃǝn] 명 협회, 단체, 조합
worldwide [wɔ́:rldwáid] 부 전 세계적으로

직독직해

It is a special day / when people exchange gifts and cards / with their loved ones.

＿＿＿＿＿＿＿＿＿＿＿＿＿＿＿＿＿＿＿＿＿＿＿＿＿＿＿＿

People / still / don't know / exactly / which Valentine / the holiday was named after.

＿＿＿＿＿＿＿＿＿＿＿＿＿＿＿＿＿＿＿＿＿＿＿＿＿＿＿＿

About one billion Valentine's cards / are sent / each year / worldwide.

＿＿＿＿＿＿＿＿＿＿＿＿＿＿＿＿＿＿＿＿＿＿＿＿＿＿＿＿

Valleys Made by Glaciers

You may have seen fjords on the postcards. Fjords are long and deep rivers of seawater along a coast. They can be found in Norway, Chile, New Zealand, Canada, and Alaska. Fjords were made when glaciers formed in the last Ice Age. Glaciers  are frozen rivers of ice that flow down from mountains. They are extremely heavy so they carve deep U-shaped valleys wherever they go. In the case of fjords, these glaciers reached the sea. When the Ice Age ended and the planet warmed up, the glaciers at today's fjords melted and seawater filled in the valleys.

Fjords can be up to 160 kilometers long and more than 1 kilometer deep. Many fjords are deeper in their middle than at their ends. So the floor of a fjord can be like a bowl. In the middle of this bowl shape, the seawater doesn't flow and becomes _____. Therefore, a lot of black mud can be found there.

Two Norwegian fjords have become UNESCO World Heritage Sites. One of them, Naeroyfjord, has mountains 1 kilometer above the water, 18 waterfalls, and small villages. The other Heritage Site is Geirangerfjord which has the famous Seven Sisters waterfall. People call it that because the seven waterfalls look like the long hairs of women.

* UNESCO World Heritage Site 유네스코 세계문화유산
* Naeroyfjord 내로이 피오르
* Geirangerfjord 게이랑어 피오르

Grammar Note

9행: 복합관계부사
복합관계부사는 부사절을 이끌며 whenever, wherever, however 등이 있음.

You can visit that café whenever you want.
너는 언제든 원할 때면 저 커피숍에 갈 수 있다.

That dog keeps following me wherever I go.
저 개는 내가 어딜 가든 계속 따라온다.

She will help me however she can.
그녀는 나를 어떻게든 도울 것이다.

1 이 글에서 언급되지 <u>않은</u> 것은 무엇인가?

① 피오르의 규모
② 피오르의 어원
③ 대표적인 피오르
④ 피오르가 있는 나라
⑤ 피오르의 생성 과정

2 피오르에 대한 내용과 일치하지 <u>않는</u> 것은?

① 빙하로 인해 생성되었다.
② U자형 계곡에 발달해 있다.
③ 바닥은 진흙으로 되어 있다.
④ 높은 산에서 내려오는 강물이 흐르고 있다.
⑤ 노르웨이에 있는 피오르는 유네스코 세계문화유산으로 지정되었다.

3 이 글의 빈칸에 들어갈 말로 가장 알맞은 것은?

① still
② fast
③ busy
④ wild
⑤ dangerous

4 다음 질문에 대한 답을 본문에서 찾아 영어로 쓰시오.

> Why are the floors of some fjords like a bowl?

_____

WORDS

fjord [fjɔːrd] 명 피오르
postcard [poustkɑːrd] 명 엽서
seawater [síːwɔ̀ːtər] 명 바닷물
coast [koust] 명 해안
glacier [gléiʃər] 명 빙하
form [fɔːrm] 동 형성되다
flow down 흘러내리다
extremely [ikstríːmli] 부 매우
carve [kɑːrv] 동 조각하다, 깎아서 만들다
valley [væli] 명 계곡
in the case of ~에 관해서는
melt [melt] 동 녹다
up to ~까지
bowl [boul] 명 그릇
mud [mʌd] 명 진흙
waterfall [wɔ́ːtərfɔ̀ːl] 명 폭포
look like ~처럼 보이다

직독직해

Fjords / were made / when glaciers formed / in the last Ice Age.

_____

Glaciers / are frozen rivers of ice / that flow down / from mountains.

_____

Many fjords / are deeper in their middle / than at their ends.

_____

Vitamins are nutrients in the body and in food that are essential for health. The human body depends on vitamins to function well. For example, vitamin D is needed for our body to absorb calcium. Without calcium, our bones will not grow strong and our immune system will not work properly. The body produces vitamin D using sunlight so we need to go outside. It is also found in seafood and eggs.

Vitamin D is only one of the many vitamins we need. For example, vitamin B2 helps prevent early aging. It is used in producing red blood cells which are important for moving oxygen throughout the body. Vitamin B2 also protects against heart disease. Foods that contain lots of vitamin B2 are almonds, milk, and spinach.

Not getting enough of a vitamin can have ill effects, as shown by vitamin B1. Food manufacturers in the 19th century started to make white rice. It had a longer shelf life because the oil in the outer layer was removed. (A) <u>He realized that eating brown rice cured the disease and patients could walk again.</u> (B) <u>The cause was discovered by Christiaan Eijkman, a physician working in Indonesia.</u> (C) <u>But people who ate a lot of it developed paralysis.</u> The <u>key</u> was later found to be the outer layer which contains vitamin B1. As we can see, vitamins are important to our health.

Grammar Note

4행: to부정사의 의미상의 주어
to부정사의 의미상의 주어는 [for+목적격]임.
It was hard for me to stay awake during the class.
나는 수업시간에 깨어있는 것이 힘들었다.

14행: 준동사의 부정
to부정사, 동명사, 분사와 같은 준동사의 부정은 바로 앞에 not을 사용.
The doctor warned me against not getting enough exercise.
의사는 내가 충분한 운동을 하지 않는 것에 대해 경고했다.

1 이 글에서 비타민의 효능에 대해 언급되지 <u>않은</u> 것은 무엇인가?

① 노화를 방지한다.
② 심장병을 예방한다.
③ 칼슘 흡수를 돕는다.
④ 상처 치료를 돕는다.
⑤ 적혈구 생성을 돕는다.

2 이 글의 밑줄 친 <u>key</u>와 의미가 가장 가까운 것은?

① call
② secret
③ object
④ symbol
⑤ purpose

3 이 글의 (A)~(C)를 글의 흐름에 맞게 배열한 것은?

① (A)–(B)–(C)
② (C)–(A)–(B)
③ (B)–(C)–(A)
④ (C)–(B)–(A)
⑤ (B)–(A)–(C)

4 비타민 B1이 부족할 경우 나타날 수 있는 증상은 무엇인가?

① 면역력이 약해질 수 있다.
② 호흡 곤란을 겪을 수 있다.
③ 뼈가 쉽게 부러질 수 있다.
④ 심장에 이상이 생길 수 있다.
⑤ 몸에 마비 증상이 올 수 있다.

직독직해

The human body / depends on vitamins / to function well.

_____

Vitamin D / is only one of the many vitamins / we need.

_____

People / who ate a lot of it / developed paralysis.

_____

Animals cannot speak as humans do. _____, they must communicate through grunts and growls, gestures, and even thoughts. Thoughts? What is this? We, as humans, probably find the idea of communicating through one's thoughts to be totally impossible. We rely on sounds that make up words and sentences, or speech, to communicate. We don't practice communicating through our thoughts.

There are some animal trainers, however, that are believed to be able to communicate with animals through thoughts. There have even been TV shows, books, and movies about some of these individuals. These talented trainers somehow "ask" animals a question with their thoughts, and the animals "answer." The trainer "hears" the answer through various types of visual images.

If an animal trainer wants to know where a dog hurts, the trainer asks the dog through this type of mental communication. The trainer may feel pain in his/her body that indicates the area of pain on the dog, or the trainer may see an image of the location. Sometimes the trainer says he/she receives an image that shows how the animal got hurt. While it may be hard to believe, more and more people are hiring these people to learn about their animals' likes and dislikes, as well as their aches and pains. Do you want to talk with your pets? Why don't you try to communicate with them through thoughts?

Grammar Note

5행: 5형식 동사 find
find는 목적어와 목적보어를 취하는 5형식 동사로 쓰일 수 있으며 to부정사, 명사, 형용사, 분사 등이 목적보어로 올 수 있음.

I **found** the article (to be) **easy** to read.
나는 그 글이 읽기 쉽다고 생각했다.

21행: 의문사가 있는 간접의문문
간접의문문의 어순은 [의문사 + 주어 + 동사]임.

I don't know **how she solved** the problem.
나는 그녀가 어떻게 문제를 풀었는지 모른다.

WORDS

1 이 글의 주제로 가장 알맞은 것은?

① 말하는 동물들
② 동물과의 의사소통
③ 보디랭귀지를 통한 의사소통
④ 동물이 느끼는 통증과 치료법
⑤ 동물을 훈련시키는 동물 조련사

2 이 글의 빈칸에 들어갈 말로 가장 알맞은 것은?

① Though
② However
③ Therefore
④ Nevertheless
⑤ In the end

3 이 글의 내용과 일치하지 <u>않는</u> 것은?

① 동물은 말로 대화할 수 없다.
② 동물 조련사에 대한 영화가 있다.
③ 일부 사람들은 생각으로 동물과 대화할 수 있다.
④ 일부 조련사들은 동물에게 말하는 것을 가르칠 수 있다.
⑤ 조련사들은 때때로 동물이 겪고 있는 통증을 느낄 수 있다.

4 이 글에서 유추할 수 있는 내용은 무엇인가?

① 동물은 인간보다 의지력이 강하다.
② 동물은 훈련을 통해 다양한 소리를 낼 수 있다.
③ 훈련을 하면 애완동물과도 의사소통이 가능하다.
④ 동물 조련사는 앞으로 불필요한 직업이 될 것이다.
⑤ 서로 다른 동물끼리의 대화도 곧 가능할 것이다.

WORDS

communicate [kəmjúːnəkèit] 통 의사소통하다, 이야기하다

grunt [grʌnt] 명 꿀꿀거리는 소리

growl [graul] 명 으르렁거리는 소리

totally [tóutəli] 부 전적으로

rely on ~을 의존하다, 믿다

make up ~을 구성하다, 형성하다

practice [prǽktis] 통 습관적으로 행하다, 항상 하다

trainer [tréinər] 명 조련사, 트레이너

individual [ìndivíʤuəl] 명 사람, 형 개별적인

talented [tǽləntid] 형 재능이 있는, 유능한

somehow [sʌ́mhàu] 부 어떻게든

various [vέ(ː)əriəs] 형 여러 가지의, 많은

visual [víʒuəl] 형 시각의, 눈에 보이는

indicate [índikèit] 통 나타내다, 표시하다

more and more 더욱 많은, 점점 더

A as well as B B뿐만 아니라 A도

aches and pains 온몸이 쑤시고 아픔

직독직해

We / probably / find / the idea of communicating / through one's thoughts / to be totally impossible.

We / rely on / sounds / that make up words and sentences, or speech, / to communicate.

Why don't you / try to communicate / with them / through thoughts?

Review Test

정답 p.4

[1~2] 밑줄 친 단어와 비슷한 의미의 단어를 고르시오.

1 When I saw the picture, I recognized him <u>instantly</u>.
   ① individually ② commonly ③ slowly ④ variously ⑤ immediately

2 Reservations are <u>essential</u> if you want to get good seats.
   ① unimportant ② frequent ③ necessary ④ usual ⑤ useless

[3~5] 빈칸에 알맞은 단어를 〈보기〉에서 찾아 쓰시오.

보기	melt	function	indicate	physician	glacier

3 My father is a mathematician and my mother is a(n) _____.

4 The snow started to _____ quickly.

5 The computer network didn't _____ well.

6 밑줄 친 부분의 쓰임이 다른 하나를 고르시오.

   ① It was lucky <u>for me</u> to meet you.
   ② The books were too easy <u>for me</u> to read.
   ③ It is impossible <u>for her</u> to finish the work in time.
   ④ I'm grateful for everything you do <u>for me</u>.
   ⑤ It is difficult <u>for me</u> to solve this puzzle.

[7~8] 밑줄 친 부분을 어법에 맞게 고쳐 쓰시오.

7 <u>He</u> is believed that he is from Norway.

   _____

8 I found the novel <u>be boring</u>.

   _____

[9~10] 우리말과 뜻이 같도록 주어진 단어를 배열하여 문장을 완성하시오.

9 밸런타인 카드의 전통은 1850년이 되어서야 널리 퍼지게 되었다
   (widespread / did / until the 1850s / the tradition of Valentine's cards / become / not)

   _____

10 비타민을 충분히 섭취하지 않으면 나쁜 영향이 있을 수 있다.
   (not / ill effects / can / getting enough of a vitamin / have)

   _____

02
UNIT

What is the driest place on the Earth? According to scientists, the driest place on the earth is the Atacama Desert in northern Chile. The Atacama Desert is 50 times drier than California's Death Valley. Although it is dry, it is not very hot. In fact, its average temperature is around fifteen degrees Celsius. The average rainfall is only one millimeter a year, but some weather stations have never reported rain. Incredibly, evidence shows that it did not rain there at all between 1570 and 1971.

The Atacama Desert has gained some fame from its dry conditions. Scientists have compared conditions there, including soil conditions, to those on Mars. In 2003, a team of researchers reported that they searched for life in the desert but were unable to <u>detect</u> any signs of life in the desert soil. The region may be unique on the earth in this regard. However, this doesn't mean the desert is useless. The Atacama Desert is being used by NASA to test instruments for future Mars missions. Because of its high altitude, nearly non-existent cloud cover, dry air, and lack of pollution, the desert is one of the best places in the world to conduct astronomical observations.

Grammar Note

5행: 배수 비교
[~ times 비교급 than ~]은 배수 비교(~보다 ~배 ~한)의 의미.
This building is three times taller than that building.
이 건물은 저 건물보다 3배 더 높다.

13행: 지시대명사 those
앞서 나온 명사의 반복을 피하기 위해 those를 쓸 수 있으며 명사가 복수인 경우 those를 씀.
This week's reviews are better than those of last week.
이번 주의 리뷰는 지난주의 리뷰보다 더 낫다.

WORDS

average [ǽvəridʒ] 형 평균의, 보통 수준의

weather station 기상대, 관측소

incredibly [inkrédəbli] 부 대단히, 몹시, 믿을 수 없을 만큼

evidence [évidəns] 명 증거, 물증

fame [feim] 명 명성, 소문

search for ~을 찾다, 구하다

unique [ju:ní:k] 형 유일한, 특이한

in this regard 이 점에 관해서는

useless [jú:slis] 형 쓸모없는, 무용한

instrument [ínstrəmənt] 명 수단, 방법, 악기

altitude [ǽltitʃùːd] 명 해발, 고도

non-existent 형 존재하지 않는

conduct [kəndʌ́kt] 동 수행하다, 처리하다

astronomical [æ̀strənámikəl] 형 천문(학)의

observation [àbzəːrvéiʃən] 명 (관찰) 정보, 결과, 기록

1 아타카마 사막에 대한 내용과 일치하지 <u>않는</u> 것은?

① 지구상에서 가장 건조한 곳 중 하나이다.
② 특정 기간 동안 비가 전혀 오지 않았다.
③ 토양에는 생명체가 풍부하다.
④ 나사에 의해 사용되고 있다.
⑤ 고도가 높고 구름이 거의 없다.

2 이 글의 밑줄 친 <u>detect</u>와 의미가 가장 가까운 것은?

① stop
② study
③ travel
④ cancel
⑤ discover

3 이 글에서 유추할 수 있는 내용은 무엇인가?

① 아타카마 사막은 세계에서 가장 큰 사막이다.
② 데스밸리는 아타카마 사막보다 훨씬 더 건조하다.
③ 아타카마 사막의 상태는 농작물을 경작하기에 알맞다.
④ 화성의 상태는 아타카마 사막의 상태와 비슷할지도 모른다.
⑤ 나사는 가까운 미래에 아타카마 사막에 우주 비행사를 파견할 것이다.

4 아타카마 사막의 유용한 점 2가지를 우리말로 쓰시오.

_____

직독직해

The driest place / on the earth / is the Atacama Desert / in northern Chile.

_____

The Atacama Desert / has gained / some fame / from its dry conditions.

_____

This / doesn't mean / the desert is useless.

_____

06 | Assistance Dogs

You have probably heard the old saying "man's best friend." When you hear this, the speaker is talking about a dog.

Dogs have lived and worked with humans for a long time. A dog can do many things that humans cannot do. A dog called a sheep dog shows us how a dog is useful to humans. The sheep dog works on a farm and helps the farmer move sheep from one place to another.

Today, dogs are very useful to people who have physical disabilities. Assistance dogs are working canines that fill a variety of roles. They are guide dogs—canines that assist people who are blind or visually <u>impaired</u>. They are hearing dogs—canines that become the ears for people who are deaf or hard of hearing. There are other assistance dogs as well: service dogs, search and rescue dogs, and even seizure-alert dogs.

If you ever see an assistance dog on the street, don't go up and pet it. Remember, it is a working animal, so you have to make sure the dog is in "relax" mode—that means not working.

Jump on the Internet, and learn more about assistance dogs. It will help you understand even better the old saying about why a dog is man's best friend.

Grammar Note

10, 21행: 준사역동사 help
준사역동사 help의 목적격 보어로는 to부정사와 원형부정사가 모두 올 수 있음.
I helped him <u>to find</u> his dog. 나는 그가 개를 찾는 것을 도와주었다.
I helped him <u>find</u> his dog.

21행: 전치사의 목적어로 쓰이는 명사절
명사, 동명사 외에도 명사절 역시 전치사의 목적어로 쓰일 수 있음.
There were lots of questions **about when the construction will be complete.**
공사가 언제 완료되는지에 대한 질문이 많이 있었다.

1 이 글의 주제로 가장 알맞은 것은?

① 개를 훈련하는 방법
② 집안에서 개의 역할
③ 개가 사람을 돕는 여러 방법
④ 개가 인기 있는 애완동물이 된 배경
⑤ 어린 아이에게 가장 유익한 애완동물

2 이 글에서 개가 할 수 있는 일로 언급되지 <u>않은</u> 것은 무엇인가?

① 실종된 사람을 찾는다.
② 양을 우리로 몰아넣는다.
③ 시각 장애인에게 길을 안내한다.
④ 사냥을 할 때 사냥감을 대신 물어다 준다.
⑤ 사람이 발작을 일으키기 전에 미리 알려준다.

3 이 글의 밑줄 친 <u>impaired</u>와 의미가 가장 가까운 것은?

① perfect
② repaired
③ discovered
④ damaged
⑤ recovered

4 길에서 보조견을 보더라도 쓰다듬으면 안 되는 이유를 우리말로 쓰시오.

saying [séiiŋ] 명 속담, 전해 내려오는 말

for a long time 오랫동안

physical [fízikəl] 형 육체의, 신체의

disability [dìsəbíləti] 명 장애, (신체 등의) 불리한 조건

assistance [əsístəns] 명 보조, 조력

canine [kéinain] 명 개 형 개의, 갯과(科)의

fill [fil] 통 (요구, 직무 등을) 수행하다, 이행하다

a variety of 다양한

assist [əsíst] 통 거들다, 돕다

blind [blaind] 형 눈이 먼, 장님의

visually [víʒuəli] 부 시각적으로

rescue [réskjuː] 명 구조, 구출

seizure-alert dog 발작 경고견(발작 증세를 알리는 개)

pet [pet] 통 (사람, 동물을) 어루만지다, 귀여워하다

make sure 확인하다, 확신하다

jump on 뛰어 올라타다

직독직해

A dog / can do / many things / that humans cannot do.

Dogs / are very useful / to people / who have physical disabilities.

It / will help / you / understand / even better / the old saying / about why a dog is man's best friend.

---

06 Assistance Dogs   **23**

Uses for Drones

Drones as toys are becoming popular these days. They may be in the form of airplanes or helicopters. But they are drones if they are controlled from the ground using electronics. Drones are basically flying robots. And in addition to being fun to fly, drones can perform many useful functions in real life.

Military drones are becoming increasingly common. Military drones do not require a pilot so they can save the lives of pilots when they are flown in dangerous conditions. Plus they can be lighter and cheaper than planes designed to carry a pilot. GPS and cameras on board a military drone can allow the controller to guide the drone to its target. Military drones are being used for close-up missions not normally attempted by human pilots. Unfortunately, military drones are not always accurate due to the uncertainties of war.

Drones are also finding civilian use. (A) Agricultural drones are starting to be used by farmers to check their fields. (B) If the farmers detect any disease, they can use the drones to spray pesticides. (C) These agricultural drones are particularly useful if a farm is large or located on hilly land. (D) Commercial delivery drones for packages or food are currently being used in some European and East Asian countries. (E) Medical delivery drones are starting to be allowed, especially in rural areas for emergency medical supplies.

Grammar Note

6행: 현재분사와 과거분사의 의미

현재분사는 진행, 능동의 의미를, 과거분사는 수동, 완료의 의미를 나타냄.

Look at those falling leaves!
떨어지는 나뭇잎들 좀 봐!

Broken glass is all over the floor.
깨진 유리가 바닥에 널려 있었다.

17, 23행: to부정사의 수동태

to부정사의 수동태는 [to be p.p.]로 나타냄.

The building began to be constructed.
빌딩은 건축되기 시작했다.

1 이 글의 요지로 가장 알맞은 것은?

① Flying a drone could be dangerous.
② Drones will change the future of war.
③ Drones are finding many different uses.
④ A new law should be made to use drones.
⑤ Human pilots can be replaced with drones.

2 이 글에서 드론을 통해 할 수 있는 일로 언급되지 <u>않은</u> 것은 무엇인가?

① 농약을 뿌릴 수 있다.
② 고객에게 택배 물품을 보낼 수 있다.
③ 높은 위치에서 영화 촬영을 할 수 있다.
④ 시골 지역에 의약품을 전달할 수 있다.
⑤ 위험한 군사 작전에서 사용할 수 있다.

3 다음 문장이 들어가기에 가장 알맞은 곳은?

> Delivery drones are another possibility.

① (A)　　② (B)　　③ (C)
④ (D)　　⑤ (E)

4 군용 드론의 단점을 찾아 우리말로 쓰시오.

_____

WORDS

drone [droun] 명 드론(무인 항공기)
form [fɔ:rm] 명 형태
electronics [ilèktrániks] 명 전기 장치
basically [béisikəli] 부 기본적으로
in addition to ~에 더하여, ~일 뿐 아니라
perform [pərfɔ́:rm] 동 수행하다
function [fʌ́ŋkʃən] 명 기능
military [mílitèri] 형 군사의
increasingly [inkrí:siŋli] 부 점점 더
conditions [kəndíʃən] 명 환경, 상황
plus [plus] 접 게다가
on board [ɔn bɔ́:rd] 승선한, 탑재된
controller [kəntróulər] 명 조종 장치, 조종하는 사람
close-up [klóusʌp] 형 근접 촬영의
accurate [ǽkjərit] 형 정확한
uncertainty [ʌnsə́:rtənti] 명 불확실성
civilian [sivíljən] 형 민간의
agricultural [æ̀grəkʌ́ltʃərəl] 형 농업의
field [fi:ld] 명 밭, 들판
detect [ditékt] 동 발견하다, 감지하다
spray [sprei] 동 뿌리다
pesticide [péstisàid] 명 살충제
hilly [híli] 형 언덕이 많은
commercial [kəmə́:rʃəl] 형 상업의
rural [rú(:)ərəl] 형 지방의, 시골의

직독직해

Drones as toys / are becoming popular / these days.

_____

They / can be lighter and cheaper / than planes / designed to carry a pilot.

_____

Agricultural drones / are starting to be used / by farmers / to check their fields.

_____

08 | Predators at Sea

Are you scared of sharks? Movies like Jaws portray sharks as dangerous predators. Are all sharks vicious killers? Consider these facts. There are more than 6 billion inhabitants on the planet Earth. There is an average of 56 shark attacks worldwide each year. Fewer than ten of these attacks are fatal. But, according to one university, around 73 million sharks are killed by humans in commercial and recreational fishing each year.

There are approximately 400 species of sharks. Almost all sharks are carnivores, but only about 4 species of sharks will attack humans. The most famous man-eating shark is the great white shark. A large great white shark is about 6 meters long! There is one "shark" that is not a shark at all—it is the whale shark. The whale shark is the largest fish in the world. It can be as long as 20 meters. The whale shark usually eats plankton and is not dangerous at all to humans.

Chances are you will never <u>encounter</u> a shark, but what should you do if a shark attacks you? Hit it on the nose and get out of the water as quickly as possible. If it doesn't stop attacking, scratch and claw at the eyes and gills. These are the two most sensitive parts of the shark's body. Better yet, if you know there are sharks in the water, don't go in.

* great white shark 백상아리
* whale shark 고래상어

Grammar Note

17행: chances are 주어 + 동사
chances are는 The chances are that이 생략된 표현이며, '~할 가능성이 매우 높다'는 의미로 사용.
Chances are the bank robber is still in the village.
은행 강도가 아직도 그 마을에 있을 가능성이 많다.

18행: as ~ as possible
[as 원급 as possible]은 '가능한 한 ~하게'라는 의미로 사용되는 표현으로 [as 원급 as + 주어 can]과 같은 의미로 쓰임.
Please call me back as soon as possible.
가능한 한 빨리 저에게 다시 전화 주세요.

1 이 글의 제목으로 가장 알맞은 것은?

① Very Dangerous Sharks
② The Sharks that Attack Humans
③ How to Deal with Shark Attacks
④ The Biggest Sharks in the World
⑤ The Truth about Sharks and Shark Attacks

2 이 글의 내용과 일치하지 <u>않는</u> 것은?

① 대부분의 상어는 육식 동물이다.
② 백상아리는 식인 상어이다.
③ 고래상어는 인간에게 전혀 위험하지 않다.
④ 고래상어는 큰 물고기를 주로 먹는다.
⑤ 눈과 지느러미는 상어의 몸에서 예민한 부위이다.

3 이 글의 밑줄 친 <u>encounter</u>와 의미가 가장 가까운 것은?

① eat
② kill
③ face
④ make
⑤ speak

4 이 글에서 유추할 수 있는 내용은 무엇인가?

① 고래상어는 멸종 위기에 처한 종이다.
② 특정 상어는 사람에게 이로운 동물이다.
③ 상어의 공격으로 인해 죽을 확률은 낮다.
④ 태평양 연안에서는 백상아리를 쉽게 볼 수 있다.
⑤ 대부분의 나라는 멸종 위기에 처한 상어의 포획을 금지한다.

WORDS

portray [pɔːrtréi] 동 묘사하다, 그리다

predator [prédətər] 명 포식자, 약탈자

vicious [víʃəs] 형 잔인한, 지독한

inhabitant [inhǽbitənt] 명 서식 동물, 거주자

worldwide [wɔ́ːrldwáid] 부 전 세계적으로

fatal [féitəl] 형 치명적인; 운명의

according to ~에 따르면

commercial [kəmə́ːrʃəl] 형 영리적인, 상업상의

recreational [rèkriéiʃənəl] 형 오락적인, 휴양의

approximately [əprάksəmətli] 부 대략

species [spíːʃiːz] 명 종(種)

carnivore [kάːrnəvɔ̀ːr] 명 육식 동물

plankton [plǽŋktən] 명 플랑크톤

scratch [skrætʃ] 동 긁다

claw [klɔː] 동 할퀴다

gill [gil] 명 아가미

sensitive [sénsətiv] 형 민감한, 예민한

직독직해

Movies / like Jaws / portray / sharks / as dangerous predators.

Hit / it / on the nose / and / get out of the water / as quickly as possible.

These are / the two most sensitive parts / of the shark's body.

[1~2] 밑줄 친 단어와 반대 의미의 단어를 고르시오.

1 This little gadget is <u>useless</u>.
  ① free   ② idle   ③ helpful   ④ dull   ⑤ creative

2 Many people are moving to <u>rural</u> areas.
  ① popular   ② urban   ③ diverse   ④ expensive   ⑤ busy

[3~5] 빈칸에 알맞은 단어를 〈보기〉에서 찾아 쓰시오.

| 보기 | physical | species | predators | civilian | fatal |

3 She is in good _____ condition.

4 This disease can be _____ to humans.

5 Some squids can change their body colors to protect themselves from their _____ .

6 밑줄 친 부분의 쓰임이 다른 하나를 고르시오.
  ① We've been <u>traveling</u> for hours.
  ② Did you see the <u>smiling</u> boy?
  ③ Look at that <u>sleeping</u> dog.
  ④ I saw a <u>singing</u> bird yesterday.
  ⑤ He has a <u>talking</u> parrot.

[7~8] 밑줄 친 부분을 어법에 맞게 고쳐 쓰시오.

7 I helped him <u>learning</u> computer skills.

8 The rocks and minerals of the moon are similar to <u>them</u> of the earth.

[9~10] 우리말과 뜻이 같도록 주어진 단어를 배열하여 문장을 완성하시오.

9 아타카마 사막은 캘리포니아 주의 데스밸리보다 50배 더 건조하다.
  (is / drier / 50 times / than / the Atacama Desert / California's Death Valley)

10 의료 배달 드론은 응급 의약 용품들을 위해 허용되기 시작하고 있다.
  (are starting / medical delivery drones / for emergency medical supplies / to be allowed)

03
UNIT

Gold is a chemical element with the symbol Au and an atomic number of 79. It is dense, soft, shiny and the most malleable and ductile pure metal. Gold has been a highly precious metal since the beginning of recorded history. It has served as a symbol of wealth throughout history and has been used for coins practically since the invention of coinage. The first gold coins in history were made by Egyptian Pharaohs around 2,700 B.C. These gold coins were used primarily as gifts and not for commerce. Many centuries later, King Croesus, ruler of Lydia, began issuing gold coins.

(A) In modern times, gold is used in many ways — in art, in technology, in jewelry, and in medicine. (B) Gold has been proven to help to reduce the pain and swelling of rheumatoid arthritis. (C) Gold leaf, flake, or dust is used on and in some gourmet foods. (D) Gold flake was used by the nobility in Medieval Europe as a decoration in food and drinks. (E) These days many people buy gold because they believe that gold prices will continue to rise and that they can gain financially.

* rheumatoid arthritis 류머티스성 관절염

Grammar Note

10행: 동격
위 지문에서 King Croesus와 ruler of Lydia는 동격으로 추가 설명을 하는 것이며 동격을 나타내는 부분은 쉼표로 표시함.

Sam, a cook, is my best friend.
요리사인 샘은 내 가장 친한 친구이다.

10행: to부정사, 동명사를 모두 목적어로 취하는 동사 begin
begin은 to부정사와 동명사를 목적어로 취할 수 있음.

He began to pack his bag. 그는 짐을 꾸리기 시작했다.
He began packing his bag.

1 이 글의 제목으로 가장 알맞은 것은?

① The Origin of Gold
② The Ways Gold is Used
③ The Reason Gold is So Expensive
④ The Gold Used as Coins in Egypt
⑤ The Way Gold is Used in Medicine

2 다음 문장이 들어가기에 가장 알맞은 곳은?

> Gold can also be used in food.

① (A) ② (B) ③ (C)
④ (D) ⑤ (E)

3 이 글의 내용과 일치하지 <u>않는</u> 것은?

① 오늘날 금은 돈을 버는 수단으로 사용된다.
② 우리 조상들은 오래 전에 금화를 만들었다.
③ 금은 류머티스 관절염의 치료에 사용된다.
④ 금은 역사를 통틀어 부의 상징으로 사용되어 왔다.
⑤ 이집트의 최초의 금화는 물건 값을 지불하는 데 쓰였다.

4 사람들이 금을 사는 이유를 찾아 우리말로 쓰시오.

_____

WORDS

element [éləmənt] 몡 (물리, 화학) 원소, 요소, 성분

atomic [ətámik] 혱 원자의, 원자에 관한

dense [dens] 혱 밀집한, 농후한

shiny [ʃáini] 혱 빛나는

malleable [mǽliəbl] 혱 (쇠를) 불릴 수 있는, 펼 수 있는

ductile [dʌ́ktail] 혱 (금속이) 두들겨 펼 수 있는, 연성의

pure [pjuər] 혱 순수한

precious [préʃəs] 혱 귀중한, 값비싼

wealth [welθ] 몡 부(富), 부유, 재산

throughout [θru(:)áut] 젠 ~동안, ~내내

practically [prǽktikəli] 분 실질적으로, 사실상

coinage [kɔ́inidʒ] 몡 경화, 주조 화폐

primarily [práimərəli] 분 주로, 본래

commerce [kámə(:)rs] 몡 상업, 통상, 교역

issue [íʃuː] 동 발행하다, 유포시키다

ruler [rúːlər] 몡 통치자

jewelry [dʒúːəlri] 몡 보석류

swelling [swéliŋ] 몡 팽창, 부풀어 오름

leaf [liːf] 몡 (금속의) 박

flake [fleik] 몡 얇은 조각, 박편

gourmet [gúərmei] 혱 미식가의

the nobility [noubíləti] 몡 귀족 (계급), 귀족 출신

financially [finǽnʃəli] 분 재정적으로, 재정상

직독직해

Gold / has been a highly precious metal / since / the beginning of recorded history.

_____

These gold coins / were used / primarily / as gifts / and not for commerce.

_____

They / believe / that gold prices / will continue to rise / and / that they can gain financially.

_____

Mayan Pyramid

Who says that pyramids are found only in Egypt? There is a very wide pyramid complex in Mexico. Chichen Itza is an ancient Mexican city which attracts over a million tourists every year. It was founded thousands of years ago by the Mayan people and has many historical sites and tourists attractions. There are the Temple of Warriors, the Observatory, and the Great Ball Court. But Chichen Itza's most impressive structure is El Castillo meaning "the castle" in Spanish. It is included among the Seven Wonders of the New World.

El Castillo is a large pyramid with a square temple on top. It is smaller than the Egyptian pyramids, but it has been reconstructed to its original state. The pyramid is not smooth but has a stepped shape with four stairways on each side. Each stairway has 91 steps. If you add up all the steps and include the top level, you get the number 365. This is the number of days in a solar year. And in the spring and autumn, the stairs create a zigzag-shaped shadow. The shape represents the Mayan feathered serpent god Quetzalcoatl. The wonderful architecture and astronomic features of El Castillo make it one of the Seven Wonders of the New World.

* Chichen Itza 치첸이차
* the Seven Wonders of the New World 새로운 세계 7대 불가사의
* Quetzalcoatl 케찰코아틀(아즈텍의 뱀신)

Grammar Note

14행: 현재완료 수동태(have + been + p.p.)
수동의 과거 상태가 현재까지 지속될 때 사용.
The car has been parked on the road.
그 차는 도로에 주차되어 있었다.

17행: the number of (~의 수)
the number of는 단수 취급하기 때문에 단수 동사가 와야 함.
The number of students **is** declining.
학생들의 수가 줄어들고 있다.

1 이 글에서 El Castillo에 대해 언급되지 않은 것은 무엇인가?

① 크기

② 용도

③ 모양

④ 이름의 의미

⑤ 계절에 따른 변화

2 이 글의 밑줄 친 features와 의미가 가장 가까운 것은?

① items

② places

③ factors

④ problems

⑤ advantages

3 El Castillo에 대한 내용과 일치하지 않는 것은?

① 사면에 계단이 있다.

② 꼭대기에 신전이 있다.

③ 세계 7대 불가사의 중 하나이다.

④ 뱀을 상징하는 모양이 나타나기도 한다.

⑤ 훼손되어 예전의 모습이 거의 남아 있지 않다.

4 이 글에서 유추할 수 있는 내용은 무엇인가?

① 엘 카스티요는 왕의 무덤이었다.

② 마야인들은 이집트의 피라미드를 참고했다.

③ 멕시코의 주요 고대 유물은 스페인에서 왔다.

④ 엘 카스티요는 천문학적 지식이 반영된 구조물이다.

⑤ 엘 카스티요는 봄이나 가을에만 방문이 가능하다.

WORDS

complex [kəmpléks] 명 단지, 복합 건물

found [faund] 동 설립하다, 세우다

historical [histɔ́(ː)rikəl] 형 역사적인

site [sait] 명 장소

tourist attraction 명 관광 명소

observatory [əbzɑ́ːrvətɔ́ːri] 명 관측소, 천문대

impressive [imprésiv] 형 인상적인

structure [stráktʃər] 명 구조물, 건축물

square [skwɛər] 형 정사각형 모양의

temple [témpl] 명 신전, 사원

reconstruct [rìːkənstrákt] 동 재건하다, 복원하다

state [steit] 명 상태

stepped [stept] 형 계단이 있는, 계단 모양의

stairway [stɛ́ərwèi] 명 계단

solar year 명 태양년

represent [rèprizént] 동 나타내다

feathered [féðərd] 형 깃털이 있는

serpent [sə́ːrpənt] 명 뱀

astronomic [æ̀strənámik] 형 천문의

직독직해

It / was founded / thousands of years ago / by the Mayan people.

El Castillo / is a large pyramid / with a square temple / on top.

The pyramid / is not smooth / but has a stepped shape / with four stairways / on each side.

A trip to France is definitely not complete without visiting the tallest structure in all of France—the Eiffel Tower. The curved design of the tower shocked most people when it was built for the 1889 International Exhibition. No one had ever designed a building shaped like that, but Gustave Eiffel, a French structural engineer, architect, and master metal worker, wasn't like everyone else. He planned the tower around the wind patterns in Paris. He added lots of curves to the structure to accommodate the wind. When the Eiffel Tower was completed, it was the tallest tower in the world.

(A) Eiffel started his career by studying literature and history in high school, but he was not accepted into the most <u>prestigious</u> engineering school in France. (B) Instead, he took a job working for a construction company that built railway bridges. (C) Over time, he developed a reputation as a creative architect, and he was awarded bigger and bigger projects.

(D) He designed the Statue of Liberty for the United States in 1886 and the San Sebastian Church located in the Philippines. (E) This church is the only steel church in all of Asia and is considered a historical landmark. He also constructed famous buildings and bridges in Vietnam, Mexico, and Belgium. Not bad for someone who started his career working for the railroad!

Grammar Note

16행: 4형식 동사의 수동태
4형식 동사는 간접목적어, 직접목적어 둘 중 하나가 주어 자리로 이동해서 수동태를 이룰 수 있으므로 두가지 수동태가 가능함.
Bigger and bigger projects were awarded to him.
그에게 점점 커다란 규모의 프로젝트가 주어졌다.

18행: 동사의 현재형
현재의 상태나 일반적인 사실을 나타내는 경우 현재 시제를 씀.
The museum charges an entrance fee.
박물관에서는 입장료를 받는다.

1 이 글의 주제로 가장 알맞은 것은?

① a historical landmark
② the Eiffel Tower in Paris
③ the Statue of Liberty in New York
④ the reason the Eiffel Tower was built
⑤ the architect who designed the Eiffel Tower

2 이 글의 밑줄 친 <u>prestigious</u>와 의미가 가장 가까운 것은?

① familiar
② welcome
③ expected
④ unknown
⑤ renowned

3 다음 문장이 들어가기에 가장 알맞은 곳은?

> Eiffel designed more than the Eiffel Tower.

① (A)   ② (B)   ③ (C)
④ (D)   ⑤ (E)

4 이 글의 내용과 일치하면 T, 그렇지 않으면 F를 쓰시오.

(1) 구스타브 에펠은 건축물에 자연적인 요소를 고려했다. ____

(2) 에펠 탑이 완공되었을 때 그것은 세계에서 가장 높은 건축물이었다. ____

(3) 구스타브 에펠은 어렸을 때부터 건축 디자인을 공부했다. ____

WORDS

definitely [défənitli] 분 절대로, 확실히, 명확히

structure [strʌ́ktʃər] 명 건물, 구조물

curved [kəːrvd] 형 곡선 모양의

engineer [èndʒəníər] 명 공학자, 기술자

architect [áːrkitèkt] 명 건축가

master [mǽstər] 형 숙련된, 숙달된

around [əráund] 전 ~에 기초하여

wind [waind] 명 굽이, 굴곡

accommodate [əkámədèit] 동 적응시키다, 순응하다

career [kəríər] 명 생애, 경력

literature [lítərətʃər] 명 문학

reputation [rèpjə(ː)téiʃən] 명 명성, 평판

creative [kriéitiv] 형 창조적인, 독창적인

historical [histɔ́(ː)rikəl] 형 역사적인

landmark [lǽndmàːrk] 명 역사적 건축물, 랜드마크

직독직해

No one / had ever designed / a building / shaped like that.

_____

Eiffel / started / his career / by studying literature and history / in high school.

_____

This church / is the only steel church / in all of Asia / and / is considered / a historical landmark.

_____

12 | Losing Our Forests

There are many purposes for clearing a forest. A forest might be cut for wood to build houses and furniture. Or the wood is made into paper or used for fuel. The land might be used to grow crops such as coffee or palm trees. Or it can be used for grazing cattle or building new towns. Deforestation can even happen when land is mined for gold, diamonds, oil, or gas.

But deforestation has its dangers. Forests provide food and shelter for plants and animals. They _____ carbon dioxide and create oxygen for us to breathe. And forests help soak up rain water. This allows it to slowly enter the ground and streams. Without a forest to _____ it, rain can erode away any soil. Floods will be more common in <u>such a situation</u>. And in the long term, the land can turn into desert.

The amount of deforestation in the world is serious. This is especially the case in Brazil due to large-scale cattle grazing and soybean farming. About 90% of the forests on Brazil's coast have disappeared in the last 20 years. Indonesia is also being deforested to plant palm trees for bio-fuel. Rapid deforestation also continues to be an issue in Myanmar, Mexico, and Australia.

Grammar Note

1행: 유도부사 There is/ are
뒤에 오는 명사가 단수면 is, 복수면 are가 와야 함.
There is a TV in the living room.
거실에 TV가 있다.

There are many people in the square.
광장에 사람이 많이 있다.

15행: such의 용법
[such + (a) 명사]는 '그런, 그러한'의 의미이며,
[such + a + 형용사 + 명사]는 정도를 강조한 '너무나'의 의미.
Such a question is easy to ask. 그런 질문은 하기 쉽다.
It's such a lovely day. 너무 좋은 날씨예요.

1 이 글에서 삼림 벌채를 하는 이유로 언급되지 <u>않은</u> 것은 무엇인가?

① 댐 건설
② 가축 방목
③ 광산 개발
④ 농경지 개척
⑤ 연료 채취

2 이 글의 빈칸에 공통으로 들어갈 말로 가장 알맞은 것은?

① use
② cause
③ absorb
④ release
⑤ produce

3 산림 벌채로 인해 앞으로 예상 가능한 변화가 <u>아닌</u> 것은 무엇인가?

① 홍수가 더 자주 발생할 것이다.
② 사막화가 더욱 가속화될 것이다.
③ 이산화탄소의 양이 더욱 늘어날 것이다.
④ 인도네시아에 야자나무가 사라질 것이다.
⑤ 브라질 해안에서는 숲을 볼 수 없을 것이다.

4 이 글의 밑줄 친 <u>such a situation</u>이 의미하는 것을 우리말로 쓰시오.

WORDS

clear [kliər] 동 치우다, 정리하다
palm tree 명 야자나무
graze [greiz] 동 방목하다
cattle [kǽtl] 명 소
deforestation [diːfɔ̀ːristéiʃən] 명 삼림 벌채
mine [main] 동 채굴하다
shelter [ʃéltər] 명 주거지, 안식처
carbon dioxide [kárbən daiáksaid] 명 이산화탄소
oxygen [áksidʒən] 명 산소
breathe [briːð] 동 숨을 쉬다
soak up 흡수하다
stream [striːm] 명 개울, 시내
erode away 침식시키다
flood [flʌd] 명 홍수
case [keis] 명 경우, 사례
large-scale [laːrdʒ skeil] 형 대규모의
soybean [sɔ́ibìːn] 명 콩
bio-fuel 명 생물 연료
rapid [rǽpid] 형 빠른
issue [íʃuː] 명 문제

직독직해

The land / might be used / to grow crops / such as coffee or palm trees.

They / absorb carbon dioxide / and / create oxygen / for us / to breathe.

About 90% / of the forests / on Brazil's coast / have disappeared.

[1~2] 밑줄 친 단어와 비슷한 의미의 단어를 고르시오.

1 The store carries diamonds and other <u>precious</u> jewels.
     ① rare   ② valuable   ③ large   ④ beautiful   ⑤ historic

2 The painting has been restored to its original <u>state</u>.
     ① condition   ② painter   ③ country   ④ province   ⑤ price

[3~5] 빈칸에 알맞은 단어를 〈보기〉에서 찾아 쓰시오.

보기	reputation	structure	rapid	represent	master

3 There is a 200-meter-tall _____ on top of the mountain.

4 There has been _____ progress in technology.

5 He has a(n) _____ as a best-selling writer.

6 밑줄 친 부분의 쓰임이 다른 하나를 고르시오.

     ① Mrs. Wright, <u>my favorite teacher</u>, gave us a lot of homework.
     ② Amanda, <u>my daughter</u>, is six years old.
     ③ Mr. Swift, <u>Jane's English teacher</u>, lives in Tokyo.
     ④ Mr. Miller is smart, <u>funny</u>, and handsome.
     ⑤ Jane, <u>my best friend from high school</u>, married Tom.

[7~8] 밑줄 친 부분을 어법에 맞게 고쳐 쓰시오.

7 I thought my bag <u>had</u> stolen.

_____

8 There <u>is</u> a lot of people on the train.

_____

[9~10] 우리말과 뜻이 같도록 주어진 단어를 배열하여 문장을 완성하시오.

9 그는 점점 커다란 규모의 프로젝트를 맡게 되었다.
     (bigger and bigger / he / awarded / projects / was)

_____

10 집을 짓고 가구를 만들기 위해 숲의 나무들이 베어질 수 있다.
     (to build / might / a forest/ for wood / be cut/ houses and furniture)

_____

04
UNIT

These days, we can see a wide range of porcelain items. Porcelain is a type of hard pottery. (A) Because it is very thin, light can shine through. (B) It is made from kaolin clay which has extremely small particles. (C) Kaolin clay becomes sticky when mixed with water. (D) To make porcelain, this clay is baked at around 1,400 degrees Celsius. (E) This is a higher temperature than other pottery. And unlike other types of pottery, porcelain doesn't absorb water. And it has a clear, metallic sound when struck.

The Chinese were the first to develop porcelain over a thousand years ago. For centuries, Chinese blue and white porcelain was a popular export item in both the East and the West. They were traded on the Silk Road to Islamic states and onto Europe. Chinese porcelain has been highly prized around the world for their quality and beauty.

Europe later started to produce their own porcelain using local materials. But at first they used softer clay which made it weaker than the Chinese version. Ingredients were later added to make it stronger. Saxony in Germany had one of the first European porcelain factories.

* kaolin 고령토
* Saxony 독일의 작센 주

Grammar Note

2행: Because vs. Because of
Because 뒤에는 주어, 동사의 절이, Because of 뒤에는 명사구가 옴.
Jane did not go because <u>she was ill.</u>
제인은 아파서 가지 않았다.

The event was cancelled because of <u>the snow.</u>
행사는 눈 때문에 취소되었다.

13행: 상관접속사 both A and B
[both A and B]는 'A, B 둘 다'라는 뜻이며 복수취급함.
Both the mother **and** the baby are healthy.
엄마와 아기 둘 다 건강하다.

It is harmful for both <u>men</u> **and** <u>women.</u>
그것은 남녀 모두에게 해롭다.

1 이 글의 주제로 가장 알맞은 것은?

① European versions of porcelain
② The nature and history of porcelain
③ Why porcelain was so popular in trade
④ The history of Chinese porcelain making
⑤ How Chinese porcelain is better than any other

2 이 글에서 자기의 특징으로 언급되지 <u>않은</u> 것은 무엇인가?

① 무늬가 화려하다.
② 빛이 통과할 수 있다.
③ 고령토로 만들어진다.
④ 물을 흡수하지 않는다.
⑤ 두드렸을 때 금속 소리가 난다.

3 중국 자기와 유럽 자기에 대한 내용과 일치하는 것은?

① 거의 동시대에 만들어졌다.
② 중국의 자기는 유럽까지 수출되었다.
③ 중국 자기는 현재는 거의 남아 있지 않다.
④ 유럽에서는 중국의 재료로 자기를 만들었다.
⑤ 유럽의 자기가 중국의 자기보다 더 튼튼하다.

4 다음 문장이 들어가기에 가장 알맞은 곳은?

Therefore we say that porcelain is almost see-through.

① (A) ② (B) ③ (C)
④ (D) ⑤ (E)

▶ **직독직해**

The Chinese / were the first / to develop porcelain / over a thousand years ago.

Europe / later / started to produce / their own porcelain / using local materials.

Ingredients / were later added / to make it stronger.

14 | An Annual Event

© shutterstock/Migel

What's your idea of a fun festival? Do you think it is fun to dress up in costumes? What about festivals with fireworks and dancing? What about being chased through the streets _____ animals that could kill you? While it seems strange to a lot of people, this is exactly what happens at one of Spain's most famous festivals: the Running of the Bulls.

On July 7th, every year, the Spanish town of Pamplona closes off some of its streets. Then, hundreds of brave men and women stand in the streets and wait. Finally, bulls are released into the streets, and the people run for their lives.

People who go to the festival wear a traditional red and white costume, and they also carry a rolled-up newspaper. People hope that they can distract the bulls _____ throwing a newspaper if they are attacked.

Bulls are very dangerous animals, and people often get hurt. Sometimes bulls crush people by standing on them. Sometimes bulls stab people with their sharp horns. Since 1910, fourteen people have been killed by bulls during Pamplona's famous festival, but that doesn't stop people from coming. Every year, more people come from all over the world to participate in this strange and dangerous festival.

Grammar Note

5행: 양보의 접속사 while
while은 시간(~하는 도중에)의 의미 외에도 양보(비록 ~이지만)의 의미로도 사용가능.
While the plan was made with good intentions, it is not practical.
그 계획은 좋은 의도로 만들어졌지만, 실용적이지는 않다.

6행: 관계대명사 what
관계대명사 what은 선행사와 관계사가 결합된 형태로 the thing which로 풀어 쓸 수 있음.
What I need is a place to sleep.
내가 필요한 것은 잠을 잘 곳이다.

1 이 글의 제목으로 가장 알맞은 것은?

① Dangerous Animals
② A Dangerous Festival
③ Why People Have Festivals
④ An Interesting City in Spain
⑤ The World's Most Popular Sport

2 이 글의 빈칸에 공통으로 들어갈 말로 가장 알맞은 것은?

① as
② of
③ to
④ by
⑤ for

3 이 글에서 언급되지 <u>않은</u> 것은 무엇인가?

① 축제 참가 자격
② 축제가 열리는 시기
③ 축제가 열리는 장소
④ 축제 참가자들의 의상
⑤ 축제에서 목숨을 잃은 사람의 수

4 축제에서 사람들이 신문을 던지는 이유를 찾아 우리말로 쓰시오.

_____

WORDS

dress up 차려 입다, 가장하다
costume [kástju:m] 몡 복장, 의상
firework [fáiərwə̀:rk] 몡 불꽃놀이
chase [tʃeis] 통 뒤쫓다
bull [bul] 몡 황소
close off 고립시키다, 막다
release [rilí:s] 통 놓아주다, 풀어놓다
traditional [trədíʃənəl] 톙 전통적인
rolled-up [rouldʌp] 톙 둥글게 말린
distract [distrǽkt] 통 (주의를) 딴 데로 돌리다
get hurt 다치다
crush [krʌʃ] 통 눌러 부수다
stab [stæb] 통 찌르다
sharp [ʃɑːrp] 톙 날카로운
horn [hɔːrn] 몡 뿔
participate [pɑːrtísəpèit] 통 참여하다

직독직해

Do you think / it is fun / to dress up / in costumes?

_____

People / who go to the festival / wear / a traditional red and white costume.

_____

More people / come / from all over the world / to participate / in this strange and dangerous festival.

_____

The meaning of alternative energy changes over time. An alternative energy is an energy source that is not the main one. Alternative energies are used if the main energy source is expensive, unavailable, or polluting. Throughout human history up until the 19th century, wood was the main energy source. Everything else had been alternative energy. If people used windmills or waterwheels, those were for a limited use locally. Wood was used globally as the fuel for heating and cooking.

But rapidly growing countries started to run out of trees. Forests had to be managed so that they would not disappear. Then coal became the new main energy source in the 19th century. Coal is a fossil fuel that comes from dead plant and animal life. It is a black rock that has to be mined from underground. Coal helped fuel the new technologies of trains and power plants. _____, mining for coal and smoke from burning it have been harmful to the environment and health.

Then early in the 20th century, petroleum became the main energy source, especially for automobiles and airplanes. It is a fossil fuel as well and supplies will not last forever. And with the issue of pollution from fossil fuels getting worse, people are looking for cleaner alternative energy. Solar, wind, bio-fuel, and hydrogen are some renewable and cleaner alternatives.

Grammar Note

19행: as well 용법
as well은 문장 끝에서 '~도 또한'이라는 의미로 쓰임.
I need those as well.
저는 저것들도 필요합니다.

20행: 원인을 나타내는 with
with는 '~ 때문에, ~ 탓으로'라는 의미를 지님.
With the excitement, I forgot to say goodbye to him.
나는 흥분해서 그에게 작별 인사하는 것을 잊었다.

1 이 글의 내용과 일치하지 <u>않는</u> 것은?

① 19세기까지는 나무가 주력 에너지였다.

② 19세기에 풍차는 대체 에너지였다.

③ 석탄은 열차와 발전소에서 사용되었다.

④ 20세기에는 석유가 주력 에너지가 되었다.

⑤ 석탄이 석유보다 환경 오염 문제가 심각하다.

2 이 글의 빈칸에 들어갈 말로 가장 알맞은 것은?

① Finally

② Probably

③ Honestly

④ Especially

⑤ Unfortunately

3 이 글에서 유추할 수 있는 내용은 무엇인가?

① 미래에는 환경 오염이 더 심해질 것이다.

② 오늘날의 대체 에너지는 예전과는 의미가 다르다.

③ 새로운 대체 에너지를 개발하는 데 많은 비용이 든다.

④ 태양 에너지는 화석 연료에 비해 에너지 효율이 떨어진다.

⑤ 화석 연료는 앞으로도 계속해서 주력 에너지원이 될 것이다.

4 석유의 주 사용 분야를 찾아 영어로 쓰시오.

WORDS

alternative energy 몧 대체 에너지

source [sɔːrs] 몧 원천, 근원

unavailable [ʌnəvéiləbl] 혱 이용할 수 없는

throughout [θruːáut] 젠 ~ 동안 죽, 내내

up until ~까지

windmill [wíndmìl] 몧 풍차

waterwheel [wɔːtərwiːl] 몧 물레방아

locally [lóukəli] 뷔 지역적으로

globally [glóubəli] 뷔 전 세계적으로

heating [híːtiŋ] 몧 난방

rapidly [ræpidli] 뷔 빠르게

growing [gróuiŋ] 혱 성장하는

run out of ~을 다 써버리다

manage [mænidʒ] 동 관리하다

fossil fuel 화석 연료

mine [main] 동 채굴하다

underground [ʌndərgráund] 몧 지하

fuel [fjúːəl] 동 ~에 연료를 공급하다

burn [bəːrn] 동 태우다

petroleum [pətróuliəm] 몧 석유

automobile [ɔ́ːtəməbìːl] 몧 자동차

supply [səplái] 몧 비축량

issue [íʃuː] 몧 쟁점, 사안

solar [sóulər] 혱 태양의

hydrogen [háidrədʒən] 몧 수소

renewable [rinúːəbl] 혱 재생 가능한

alternative [ɔːltə́ːrnətiv] 몧 대안, 대체

직독직해

An alternative energy / is an energy source / that is not the main one.

Forests / had to be managed / so that they would not disappear.

It / is a fossil fuel / as well / and supplies / will not last forever.

---

16 | A Great Contribution

Some of the best scientists in history were the worst students in school. These people don't easily fit in with others. Sometimes their contribution is not realized until decades later. This is what happened to Galileo Galilei.

Born in 1564 in Pisa, Italy, Galileo spent his childhood in Florence. His father pushed him to become a doctor, but Galileo failed all of his university classes. He switched to studying math and astronomy. He was recognized as a brilliant mathematician and was invited to be a teacher at the same university that he had previously quit.

As a professor, he challenged the accepted theory that heavier objects fall faster than lighter objects. To disprove this idea, he climbed the Leaning Tower of Pisa and dropped a number of objects from the top. They all landed at the same time. He proved that one thousand years of thinking was wrong, and he would go on to do this again!

Galileo, who built and used his own telescopes, discovered moons orbiting the planet Jupiter. This discovery caused him to question the medieval belief that the sun revolved around the Earth. After doing many calculations, Galileo concluded that the Earth revolved around the sun. The Catholic Church was furious. Why? Because Galileo's new idea contradicted the Bible. So the Church put Galileo under house arrest. It was 100 years later that scientists proved Galileo was correct.

1　이 글의 주제로 가장 알맞은 것은?

① 갈릴레오의 발명품
② 코페르니쿠스의 이론
③ 중세에 인정받은 과학
④ 학교에 적응하지 못한 과학자들
⑤ 갈릴레오의 과학자로서 업적

2　이 글의 내용과 일치하는 것은?

① 갈릴레오는 성당에 다니지 않았다.
② 갈릴레오는 학교에서 역사 교사로 일했다.
③ 가톨릭교회는 지구가 태양의 주위를 돈다고 믿었다.
④ 갈릴레오의 새로운 생각은 틀린 것으로 입증되었다.
⑤ 갈릴레오는 물체의 무게와 낙하 속도는 관계가 없음을 증명했다.

3　다음 문장의 빈칸에 들어갈 말로 가장 알맞은 것은?

> Galileo _____ the accepted theory and proved the theory wrong, but the Catholic Church didn't _____ his new idea.

① favored, agree
② disliked, refuse
③ respected, explore
④ questioned, accept
⑤ disagreed, disagree

4　가톨릭교회가 갈릴레오를 자택에 감금했던 이유를 찾아 우리말로 쓰시오.

_____

WORDS

fit in ～와 조화하다, 일치하다
contribution [kὰntrəbjúːʃən]
명 공헌, 기여, 기부
decade [dékeid] 명 10년
switch [switʃ] 동 바꾸다, 돌리다
astronomy [əstránəmi]
명 천문학
mathematician
[mæ̀θəmətíʃən] 명 수학자
brilliant [bríljənt] 형 명석한,
훌륭한, 찬란한
challenge [tʃǽlindʒ] 동 이의
를 제기하다, 의심하다
accepted [əkséptid] 형 일반
적으로 인정된, 용인된
disprove [disprúːv] 동 반증하다
telescope [téləskòup]
명 망원경
orbit [ɔ́ːrbit] 동 궤도를 돌다
medieval [mìːdííːvəl] 형 중세
의
revolve [riválv] 동 공전하다,
회전하다
calculation [kæ̀lkjəléiʃən]
명 계산, 셈
furious [fjú(ː)əriəs] 형 격노한,
맹렬한
contradict [kὰntrədíkt]
동 모순되다, 부정하다
house arrest 명 가택 연금

━ **직독직해**

This is / what happened / to Galileo Galilei.

_____

His father / pushed / him / to become a doctor.

_____

It was 100 years later / that scientists proved / Galileo was correct.

_____

[1~2] 밑줄 친 단어와 반대 의미의 단어를 고르시오.

1 The wall between the rooms was very <u>thin</u>.
   ① sticky   ② clear   ③ decorated   ④ strong   ⑤ thick

2 The disease can spread <u>rapidly</u> throughout Europe.
   ① easily   ② quickly   ③ exactly   ④ certainly   ⑤ slowly

[3~5] 빈칸에 알맞은 단어를 〈보기〉에서 찾아 쓰시오.

> 보기 release   crush   petroleum   globally   contradict

3 The two witness statements ＿＿＿＿＿＿ each other.

4 They decided to ＿＿＿＿＿＿ the tiger into the wild.

5 The World Cup final game was broadcast ＿＿＿＿＿＿.

6 밑줄 친 부분의 쓰임이 다른 하나를 고르시오.
   ① <u>It</u> is necessary that you learn to swim.
   ② <u>It</u> is important that you obey the rules.
   ③ <u>It</u> is Jennies that moved to France.
   ④ <u>It</u> is essential that you arrive on time.
   ⑤ <u>It</u> is natural that you feel afraid in that situation.

[7~8] 밑줄 친 부분을 어법에 맞게 고쳐 쓰시오.

7 <u>Which</u> I need is a good sleep.

8 Exercise is good for both body <u>or</u> mind.

[9~10] 우리말과 뜻이 같도록 주어진 단어를 배열하여 문장을 완성하시오.

9 석탄은 죽은 식물과 동물체에서 생기는 화석 연료다.
   (dead plant and animal life / coal is / that / a fossil fuel / comes / from)

10 그는 좀 더 무거운 물체가 좀 더 가벼운 물체보다 더 빨리 떨어진다는 기존의 이론에 도전장을 냈다.
    (that / he / the theory / challenged / fall faster / than / heavier objects / lighter objects)

05
UNIT

What does coconut milk have in common with dairy milk? The color—opaque white. That's it. Coconut milk is not the liquid found in the center of the fruit. Coconut milk is made from the flesh of the coconut. It is finely shredded, steeped in hot water, and squeezed either manually or by machine until it is very dry. The liquid from this initial process is the virgin milk. This process can be repeated one or two more times, but the milk will be thinner in consistency each time.

Although "milks" can be made from many sources such as soy, rice, or nuts, coconut milk has some distinct advantages. It is high in magnesium, low in sodium, and contains no cholesterol. There is also a downside to this "milk" product: it is extremely high in saturated fats. However, it appears that the human body can more easily metabolize this type of saturated fat than that found in dairy products.

_____ coconut milk and animal milk look very much the same, the resemblance stops there. There is no similarity in taste at all. However, a cup of hot cocoa or Christmas eggnog is equally nutritious and satisfying when made with coconut milk.

* eggnog 에그노그(알코올성 음료에 달걀과 우유를 섞어서 만든 음료)

Grammar Note

6행: 상관접속사 either A or B
"A와 B 둘 중 하나"라는 뜻으로 둘 중에서 하나를 선택해야 하는 경우에 사용.
Either you can stay at home **or** you can go with me now.
집에 있거나 지금 나와 함께 갈 수 있어.

15행: 대명사 that
위 지문에서 that은 the saturated fat를 대신해서 쓰인 것으로 대명사 that은 앞에 나온 단수 명사를 대신해서 쓰임.
The population of Korea is smaller than **that** of China.
한국의 인구는 중국의 인구보다 더 적다.

1 이 글의 내용과 일치하는 것은?

① 코코넛 우유는 갈색이다.
② 코코넛 우유는 소화가 잘 안 된다.
③ 코코넛 우유에는 지방이 거의 없다.
④ 코코넛 우유는 코코넛 씨앗의 액체로 만든다.
⑤ 코코넛 우유와 일반 우유는 맛이 전혀 다르다.

2 이 글의 빈칸에 들어갈 말로 가장 알맞은 것은?

① If
② Once
③ Since
④ When
⑤ Even though

3 이 글에서 유추할 수 있는 내용은 무엇인가?

① 코코넛 우유는 쉽게 상한다.
② 코코넛 우유는 일반 우유보다 만들기 쉽다.
③ 코코넛 우유는 일반 우유보다 가격이 비싸다.
④ 코코넛 우유는 원액으로 마실 때 가장 맛이 좋다.
⑤ 코코넛 우유에는 포화지방이 많지만 걱정할 수준은 아니다.

4 코코넛 우유의 장점 3가지를 찾아 우리말로 쓰시오.

_____

WORDS

have in common ~을 공통으로 가지다

dairy [dɛ́(ː)əri] 휑 유제품의

opaque [oupéik] 휑 불투명한

liquid [líkwid] 뎽 액체

flesh [fleʃ] 뎽 (열매의) 과육(果肉)

finely [fáinli] 봄 잘게, 가늘게

shred [ʃred] 동 조각조각 자르다

steep [stiːp] 동 ~에 적시다, 담그다

squeeze [skwiːz] 동 짜내다

manually [mǽnʒuəli] 봄 손으로

initial [iníʃəl] 휑 처음의, 초기의

virgin [və́ːrdʒin] 휑 처음 추출한, 순수한

consistency [kənsístənsi] 뎽 (액체의) 농도, 밀도

soy [sɔi] 뎽 콩

distinct [distíŋkt] 휑 특징적인, 구별되는

sodium [sóudiəm] 뎽 나트륨

downside [dáunsàid] 뎽 단점

extremely [ikstríːmli] 봄 매우

saturated [sǽtʃərèitid] 휑 포화된

fat [fæt] 뎽 지방

metabolize [mətǽbəlàiz] 동 신진대사시키다

resemblance [rizémbləns] 뎽 유사함

similarity [sìməlǽrəti] 뎽 유사

nutritious [njuːtríʃəs] 휑 영양분이 많은

satisfying [sǽtisfàiiŋ] 휑 만족스러운

직독직해

Coconut milk / is not the liquid / found / in the center of the fruit.

_____

The milk / will be thinner / in consistency / each time.

_____

There is no similarity / in taste / at all.

_____

Every night you look up and see the Moon, but have you ever wondered how it was created? The Moon is Earth's natural satellite. It orbits the planet while the planet orbits the Sun. But when we learned about the true nature of space, some mysteries about the Moon arose.

In fact, its exact origin has been a puzzle for hundreds of years. Most satellites are very small compared to the planets they orbit. But the Moon is unusually large compared to the Earth. Several theories have been proposed, but <u>one</u> has gained wide acceptance now.

We used to think the Moon was captured by Earth's gravity. But the moon seemed too big to be captured by Earth. The four largest moons of Jupiter are much smaller than Jupiter. So it makes sense that the huge gravity of Jupiter could capture them. But the Earth is only 4 times wider than the Moon. So the Capture Theory was unsatisfactory.

Now scientists think the Moon came out of the Earth. The theory is called the Giant Impact Theory. The early solar system had many collisions and impacts between planets. One such collision was between Earth and another planet named Theia. And the rocks and dust from this collision formed the Moon. This explains _____.

Grammar Note

12행: used to + 동사원형
[used to + 동사원형]은 과거의 행위나 상태를 나타내며 '~하곤 했다'라는 의미임.

I used to live in New York.
나는 뉴욕에 살았었다.

14행: 비교급 강조
비교급은 much, even, still, far 등의 부사가 수식함. very는 원급만 수식함.

My brother is much taller than me.
우리 형은 나보다 훨씬 키가 크다.

1 이 글의 제목으로 가장 알맞은 것은?

① The Gravity of the Moon
② How the Moon was Created
③ The Moons of Earth and Jupiter
④ How Often the Moon Orbits Earth
⑤ The Difference Between Earth and the Moon

2 이 글의 빈칸에 들어갈 말로 가장 알맞은 것은?

① how Earth began
② how Earth orbits the Sun
③ how Jupiter got its moons
④ how Earth got such a large satellite
⑤ how Earth became a planet of the solar system

3 Capture Theory에 의문을 품는 이유는 무엇인가?

① 달이 다른 행성의 위성이었기 때문에
② 달이 지구와 비슷한 토양으로 되어 있어서
③ 달이 지구보다 더 먼저 만들어졌기 때문에
④ 달의 중력이 지구의 중력보다 약하기 때문에
⑤ 달이 위성치고는 지구와 비교해서 너무 크기 때문에

4 이 글의 밑줄 친 <u>one</u>이 의미하는 것을 찾아 영어로 쓰시오.

_____

_____

WORDS

natural [nǽtʃərəl] 형 자연적인
satellite [sǽtəlàit] 명 위성
orbit [ɔ́ːrbit] 동 공전하다
arise [əráiz] 동 생기다, 발생하다
origin [ɔ́(ː)ridʒin] 명 기원
compared to ~와 비교해서
theory [θí(ː)əri] 명 이론
acceptance [əkséptəns] 명 동의, 승인, 받아들임
capture [kǽptʃər] 동 잡다
gravity [grǽvəti] 명 중력
Jupiter [dʒúːpitər] 명 목성
make sense 이치에 맞다
unsatisfactory [ʌ̀nsætisfǽktəri] 형 만족스럽지 못한
impact [ímpækt] 명 충돌
solar system 명 태양계
collision [kəlíʒən] 명 충돌
dust [dʌst] 명 먼지

직독직해

Most satellites / are very small / compared to / the planets they orbit.

_____

We / used to think / the Moon was captured by Earth's gravity.

_____

It makes sense / that the huge gravity of Jupiter / could capture them.

_____

19 | The Benefits of Zoos

Zoos are wonderful places to see exotic wildlife from different countries and regions around the world. They are an amazing place to learn about wildlife and a fun place to spend the day with your family or friends.

In the past, a school field trip to the zoo was just for fun. These days, zoos have informative signs with lots of information about the animals you see: their size, appearance, habitat, and their population size. If an animal is endangered, they teach about conservation efforts. Many zoos now have a department of education for the zoo visitors.

Zoos do a lot of great things. They work to protect wild animals by breeding animals to put back in the wild. (A) They also study animals, and they teach people about animals. (B) Before 1995, the Wyoming toads were extinct in the wild. (C) Since 1995, over 6,000 Wyoming toads have been bred and put back into their _____. (D) The Saint Louis Zoo in the U.S. and Kenyan organizations are working together to teach people in Kenya about this endangered animal. (E) And the education campaigns seem to be working as the zebra numbers are steadily increasing.

Zoos can be a great learning experience. Who knows, part of the admission ticket you buy to get into the zoo might help save an endangered animal?

Grammar Note

20행: seem to부정사
seem은 to부정사를 취하여 '~해 보인다, ~인 것 같다'는 뜻으로 쓰임.

Ben seems to have some problems.
벤은 문제가 있는 것 같다.

22행: 수사의문문
지문의 Who knows는 수사의문문으로, 의문문이지만 상대방의 대답을 기대하며 질문을 하는 것이 아닌 자신의 생각을 반어적으로 표현하는 의문문임.

Who cares?
누가 신경 쓰겠는가?
(아무도 신경 쓰지 않는다)

54

1 이 글의 주제로 가장 알맞은 것은?

① 동물원과 지역 사회와의 관계

② 더 많은 동물원 건설의 필요성

③ 동물원이 하는 교육과 동물 보호 활동

④ 야생 동물을 보호해야 하는 이유와 방법

⑤ 동물원이 어린이에게 미치는 긍정적인 영향

2 동물원이 하는 일에 대한 내용과 일치하지 <u>않는</u> 것은?

① 방문자들에게 동물에 대한 정보를 알려준다.

② 야생 동물을 사육해서 자연으로 돌려보낸다.

③ 다른 나라의 기관과 협력하기도 한다.

④ 수익을 통해 지역 사회 발전을 도모한다.

⑤ 멸종 위기에 처한 동물을 돕는다.

3 다음 문장이 들어가기에 가장 알맞은 곳은?

Another success story is the Grevy's zebra from Kenya.

① (A)   ② (B)   ③ (C)

④ (D)   ⑤ (E)

4 이 글의 빈칸에 들어갈 말로 가장 알맞은 것은?

① rules   ② houses

③ habitats   ④ friends

⑤ organizations

WORDS

exotic [igzátik] 형(동·식물 등이) 외국산의, 외래의

wildlife [wáildlàif] 명 야생 동물

region [ríːdʒən] 명 지역, 지방

field trip 명 견학, 현장학습

informative [infɔ́ːrmətiv] 형 정보를 제공하는, 유익한

appearance [əpí(ː)ərəns] 명 외관, 외양

habitat [hǽbitæt] 명(동·식물의) 서식지, 소재지

population [pàpjəléiʃən] 명(일정 지역의) 개체군, 집단, 인구

endangered [indéindʒərd] 형 멸종될 위기에 처한

conservation [kànsərvéiʃən] 명 보존, 보호

department [dipáːrtmənt] 명 부(部), 부문

breed [briːd] 동 사육하다, 기르다

put back ~을 되돌려 놓다

toad [toud] 명 두꺼비

extinct [ikstíŋkt] 형(생명·생물이) 멸종된, 쇠퇴한

organization [ɔ̀ːrgənizéiʃən] 명 단체, 조합

steadily [stédili] 부 착실하게, 끊임없이

admission ticket 명 입장권

직독직해

Zoos / have / informative signs / with lots of information / about the animals / you see.

They / work / to protect wild animals / by breeding animals / to put back in the wild.

The education campaigns / seem to be working / as the zebra numbers are steadily increasing.

There are many mysterious structures from the ancient world. Of these many ancient wonders, Stonehenge is one of the most mysterious structures. The origin of the name Stonehenge comes simply from the combination of "stone" and "henge." Stonehenge is a prehistoric monument located in Amesbury, Wiltshire in southern England. Archaeologists believe that the stone monument was built and used between 3700 and 1600 B.C.

Stonehenge is a circle of 17 upright stones. Two types of stones were used for the construction. The weight of the stones used in Stonehenge ranges from four to fifty tons. These stones were shipped from far away, and people still are not clear how these stones were transported to their current location.

In modern times, questions such as "What is Stonehenge?", "Who built Stonehenge?", and "What was Stonehenge's purpose?" have been asked repeatedly. Some people say that Stonehenge was used as a religious site of worship. Other people say that Stonehenge was built to <u>calculate</u> the annual calendar and seasons. But _____ knows for sure the exact purpose of Stonehenge.

When Stonehenge was first opened to the public, it was possible to walk among and even climb on the stones. Today, visitors are no longer permitted to touch the stones. They are only able to walk around the monument. Stonehenge was added to UNESCO's list of World Heritage Sites in 1986.

Grammar Note

4행: one of the + 최상급 + 복수 명사

[one of the + 최상급 + 복수 명사] 구문에서 뒤에는 복수 명사가 와야함.

He is one of the most famous actors in Korea.
그는 한국에서 가장 유명한 배우 중 한 명이다.

22행: 가주어 it

주어가 to부정사이면서 긴 경우에 가주어 it을 사용함.

It is not safe to ride a motorcycle without a helmet.
헬멧을 쓰지 않고 오토바이를 타는 것은 안전하지 않다.

1 이 글의 주제로 가장 알맞은 것은?

① 스톤헨지의 용도
② 스톤헨지의 감상 포인트
③ 스톤헨지의 과학적 요소
④ 스톤헨지의 기원에 대한 수수께끼
⑤ 관광객들에게 훼손되고 있는 스톤헨지

2 이 글에서 스톤헨지에 대해 언급되지 <u>않은</u> 것은 무엇인가?

① 스톤헨지의 모양
② 스톤헨지가 세워진 시기
③ 스톤헨지를 이룬 수직 돌의 수
④ 스톤헨지를 방문하는 관광객의 수
⑤ 스톤헨지가 유네스코의 인정을 받게 된 시기

3 이 글의 밑줄 친 <u>calculate</u>와 의미가 가장 가까운 것은?

① ship
② make
③ build
④ carry
⑤ count

4 이 글의 빈칸에 들어갈 말로 가장 알맞은 것은?

① anyone
② nobody
③ someone
④ everyone
⑤ somebody

WORDS

mysterious [mistí(:)əriəs]
형 불가사의한, 신비한

structure [strʌ́ktʃər] 명 구조
물, 건물

wonder [wʌ́ndər] 명 불가사의
한 것, 경탄할 만한 것

origin [ɔ́(:)ridʒin] 명 기원, 발생,
유래

combination [kàmbənéiʃən]
명 결합, 배합

prehistoric [prìːhistɔ́(:)rik]
형 선사의, 아주 옛날의

monument [mʌ́nəmənt]
명 유물, 유적, 기념물

archeologist [àːrkiálədʒist]
명 고고학자

upright [ʌ́pràit] 형 똑바로 선,
직립의

ship [ʃip] 통 보내다, 수송하다

transport [trænspɔ́ːrt]
통 수송하다, 운송하다

religious [rilídʒəs] 형 종교의,
신성한

worship [wə́ːrʃip] 명 숭배, 존경

permit [pəːrmít] 통 허락하다,
허가하다

monument [mʌ́njumənt]
명 기념물

add [æd] 통 더하다, 추가하다

직독직해

The weight / of the stones / used / in Stonehenge / ranges from four to fifty tons.

Some people / say / that Stonehenge was used / as a religious site / of worship.

Visitors / are no longer permitted / to touch the stones.

[1~2] 밑줄 친 단어와 비슷한 의미의 단어를 고르시오.

1 I could find no <u>downside</u> to the smartphone.
    ① dust   ② technology   ③ disadvantage ④ feature   ⑤ battery

2 The moon <u>orbits</u> around the Earth.
    ① hits   ② creates   ③ shines   ④ explodes   ⑤ rotates

[3~5] 빈칸에 알맞은 단어를 〈보기〉에서 찾아 쓰시오.

| 보기 | shipped | permitted | informative | organization | origin |

3 Greenpeace is an environmental _____.

4 I ordered a table, but they haven't _____ it yet.

5 Food and drink are not _____ in the museum.

6 밑줄 친 부분의 쓰임이 다른 하나를 고르시오.
    ① <u>That</u> boy hit me.
    ② Do you see <u>that</u> girl wearing a skirt?
    ③ Can I try on <u>that</u> hat?
    ④ My father works in <u>that</u> building.
    ⑤ The number of people in China is greater than <u>that</u> of Australia.

[7~8] 밑줄 친 부분을 어법에 맞게 고쳐 쓰시오.

7 A giraffe is <u>very</u> taller than a horse.

_____

8 His story seems <u>be</u> true.

_____

[9~10] 우리말과 뜻이 같도록 주어진 단어를 배열하여 문장을 완성하시오.

9 코코넛의 과육은 손이나 기계로 꼭 짠다.
   (is / by machine / the flesh of the coconut / squeezed / manually / either / or)

_____

10 그것은 가장 신비스러운 구조물 중 하나이다.
   (the most / it / of / one / mysterious structures / is)

_____

06
UNIT

Have you tried avocado-related products? The avocado is a pear-shaped fruit with one large seed in the middle. It is native to Mexico and South America where it has grown for more than 10,000 years. Depending on the variety of avocado, the skin can be green or even purple. It can also be either <u>bumpy</u> or smooth. The bumpy variety gave the fruit its nickname "alligator pear." The flesh is usually light green and feels creamy. Because of this, it is called "butter fruit" in some parts of the world. Today it is grown around the world, especially in Mexico, the US, Brazil, and Colombia.

One avocado has about 300 calories and about 30 grams of fat. This is a large amount of fat for a fruit. But it is the good kind of fat everyone needs. Good fats keep you healthy and do not lead you to gain much weight. And some nutrients need the help of fat to be absorbed into the body. In addition, avocados are a good source of fiber which helps lower blood sugar levels. They also have lots of potassium and vitamins. Overall, avocados are a nutritious and healthy fruit that can help protect against diseases.

* potassium 칼륨

Grammar Note

14행: lead + 목적어 + to부정사
동사 lead는 [lead + 목적어 + to부정사] 형태로 '(어떤 결과 · 상태에) 이르게 하다'는 뜻임.
It will lead you to reconsider your decision.
그것은 당신의 결정을 재고하게 할 것이다.

14행: 수량형용사 many / much
many는 복수가산명사 앞에, much는 불가산명사 앞에 와야 함.
There are many books in my bag.
내 가방에는 책이 많이 있다.

How much time do you need?
시간이 얼마나 필요한가요?

1 아보카도에 대한 내용과 일치하지 <u>않는</u> 것은?

① 혈당을 낮추는 데 도움이 된다.

② 껍질 색깔이 녹색 또는 보라색이다.

③ 멕시코와 남아메리카가 원산지이다.

④ 아보카도의 지방은 몸에 해롭지 않다.

⑤ 아보카도는 칼로리가 높아 다이어트에 좋지 않다.

2 이 글에서 아보카도에 함유된 성분으로 언급되지 <u>않은</u> 것은 무엇인가?

① 지방

② 칼륨

③ 단백질

④ 섬유질

⑤ 비타민

3 이 글의 밑줄 친 <u>bumpy</u>와 의미가 가장 가까운 것은?

① salty

② juicy

③ sweet

④ rough

⑤ round

4 다음 질문에 대한 답을 찾아 우리말로 쓰시오.

> Why is avocado sometimes called "butter fruit?"

직독직해

The avocado / is a pear-shaped fruit / with one large seed / in the middle.

Some nutrients / need / the help of fat / to be absorbed into the body.

Avocados / are a good source of fiber / which helps lower blood sugar levels.

Do you know what a vampire is? A vampire is a creature that drinks blood instead of eating food. You may know about vampires because there are many scary movies and books about them.

But if you think vampires only exist in movies or books, then you haven't heard of the vampire bat. It is real! It is the only mammal that flies and drinks blood as its only source of food.

The vampire bat is a nocturnal creature. It comes out at night to drink the blood of other animals. Their usual sources of food are horses and cows. The bat lands near the host, then crawls along the ground until it is close enough to bite its victim. Once it bites, the vampire bat usually feeds for about half an hour. It does not drink enough blood to actually harm the host. The real danger from vampire bats lies in the risk of infection and disease that can result from the bite.

These blood-drinking bats usually live in groups of around 100. In one year, a group can drink the amount of blood contained in 25 cows! But don't worry! You are unlikely to come across one on your way to school, as these unusual animals can only be found in the jungle regions of Mexico and Central and South America.

Grammar Note

8행: 관계대명사 that
위 지문에서 동사 flies와 drinks는 주격 관계대명사 that과 연결됨. 관계대명사 that은 사람, 사물, 주격, 목적격에 관계 없이 사용될 수 있음.
A bee is a flying insect that has a sting.
벌은 침이 있는 나는 곤충이다.

12, 13행: enough의 위치
enough는 '충분한', '충분히'라는 의미로 쓰이며, 명사 앞, 형용사[부사] 뒤에서 수식함.
The pizza is large enough.
피자는 충분히 크다.

We have enough chairs.
우리는 의자가 충분히 있다.

정답 p.15

1 이 글의 밑줄 친 <u>scary</u>와 의미가 가장 가까운 것은?

① sad
② sorry
③ bloody
④ moody
⑤ frightening

2 흡혈박쥐가 위험한 이유는 무엇인가?

① 병균을 옮길 수 있다.
② 위험한 독을 갖고 있다.
③ 날카로운 이빨로 동물을 죽인다.
④ 피를 전부 빨아서 동물을 죽인다.
⑤ 배설물로 인해 전염병이 퍼질 수 있다.

3 이 글의 내용과 일치하면 T, 그렇지 않으면 F를 쓰시오.

(1) 흡혈박쥐의 통상적인 식량원은 말과 소이다. ___
(2) 흡혈박쥐는 보통 1시간 정도 피를 마신다. ___
(3) 피를 빨린 말과 소는 대부분 죽는다. ___

4 다음 질문에 대한 답을 찾아 우리말로 쓰시오.

> Why are we unlikely to see the vampire bat around our neighborhood?

_____

직독직해

A vampire / is a creature that / drinks blood / instead of / eating food.

_____

It / is the only mammal / that flies and drinks blood / as its only source of food.

_____

It / does not drink / enough blood / to actually harm the host.

_____

Before 1903, no one had ever flown in a motorized vehicle. Then the Wright Brothers invented airplanes, and the concept of flying became a reality. It was not until the 1920s that women started flying, and it was not until 1926 that a woman flew across the Atlantic Ocean

with a crew. (famous, is, what, that, made, Amelia Earhart). Earhart is one of the world's most famous early aviators or pilots.

Born in 1897, she was a pioneer in the early days of aviation history. In 1926, she became the first woman to fly solo across the Atlantic Ocean. By 1932, she had set several speed and distance records. That same year, the U.S. president presented her with a gold medal.

Tragedy struck Earhart in 1937, however. Earhart wanted to be the first woman to fly around the world. She took off in June of 1937 and traveled east around the world. She was only a few days from completing her journey when her plane crashed somewhere in the Pacific Ocean. Search and rescue operators launched the largest search and rescue mission ever, but failed to locate Earhart or the wreckage. While there have been many theories about the disappearance to this day, no one knows what really happened to Earhart. Regardless, she remains one of the best examples of a fearless explorer.

Grammar Note

1행: 과거완료
대과거(과거의 어떤 시점보다 더 앞선 과거)에 대한 사실을 말할 때에는 과거완료를 사용함.

Before World War I, no country **had ever given** women the right to vote.
1차 세계대전 전에는 어떤 국가도 여성에게 투표권을 주지 않았다.

11행: to부정사의 형용사적 용법
위 지문에서 to fly는 to부정사의 형용사적 용법으로 the first woman을 후치 수식함. to부정사가 명사를 수식할 때에는 명사 뒤에 위치함.

She has no wish to change her password.
그녀는 비밀번호를 바꿀 의사가 없다.

1 이 글의 주제로 가장 알맞은 것은?

① the first airplane in America
② brave men and women pilots
③ the danger of flying airplanes
④ the life of the most famous female pilot
⑤ the Wright Brothers and their achievements

2 이 글의 밑줄 친 concept와 의미가 가장 가까운 것은?

① idea
② plan
③ event
④ sense
⑤ action

3 Amelia Earhart에 대한 내용과 일치하지 않는 것은?

① 그녀의 죽음은 오늘날까지 수수께끼로 남아 있다.
② 대통령으로부터 금메달을 받은 적이 있다.
③ 1937년에 전 세계를 단독으로 비행하는 것을 완수했다.
④ 비행기로 대서양을 횡단한 최초의 여성이었다.
⑤ 비행 속도와 거리에서 모두 기록을 세웠다.

4 이 글의 ( ) 안에 주어진 단어를 우리말과 같은 뜻이 되도록 배열하시오.

> 이점이 바로 아멜리아 에어하트를 유명하게 만든 것이다.

_____

WORDS

reality [ri(ː)ǽləti] 몡 현실, 실제
aviator [éivièitər] 몡 비행사, 조종사
pioneer [pàiəníər] 몡 선구자, 개척자
aviation [èiviéiʃən] 몡 비행
solo [sóulou] 凰 단독으로, 혼자서
present [prizént] 동 주다, 수여하다
take off 이륙하다, 도약하다
crash [kræʃ] 동 (비행기가) 추락하다, (산산이) 부서지다
rescue [réskjuː] 몡 구출, 구원
operator [ápərèitər] 몡 조작자, 운전자
launch [lɔːntʃ] 동 (기업, 계획 등에) 착수하다, 시작하다
locate [lóukeit] 동 (물건의 위치 등을) 알아내다, 밝혀내다
wreckage [rékidʒ] 몡 난파 잔해, 파편
disappearance [dìsəpíːərəns] 몡 사라짐, 실종
to this day 지금까지도
regardless [rigáːrdlis] 凰 여하튼, 그럼에도 불구하고
fearless [fíərlis] 형 무서워하지 않는
explorer [iksplɔ́ːrər] 몡 탐험가

직독직해

It was not until the 1920s / that women started flying.

_____

She / became / the first woman / to fly solo / across the Atlantic Ocean.

_____

She / remains / one of the best examples / of a fearless explorer.

_____

24 | The First Plant

Never underestimate mosses. These simple plants first arrived on land almost half a billion years ago. They evolved from ocean algae and adapted to living outside of the waters. Like algae, mosses can use photosynthesis to

convert sunlight into energy. Mosses are small plants, some too small to be seen. But all species of moss must live in tight groups. This is because they cannot store water inside them. They have to hold water together in groups. So their preferred environments are moist or shady places.

People may not like mosses because of where they grow. But they are important to the ecosystem. They hold moisture so they _____ the seeds of other plants grow. Moss is also a good place to live for small animals such as spiders, insects, and worms. Birds eat such creatures, and mice eat parts of the moss itself.

Mosses also _____ prevent erosion of the soil. They do this by holding the soil together and soaking up rain water. They can also create new soil by breaking down stones and rocks. Because of this, mosses <u>act as a pioneer species</u> in places which don't have life yet.

* algae 조류
* photosynthesis 광합성

Grammar Note

7행: convert A into B
convert A into B는 'A를 B로 전환하다, 바꾸다'는 의미임.
You can convert a bedroom into an office.
침실을 사무실로 개조할 수도 있다.

14행: such as의 쓰임
such as(~와같은)는 전치사로서 예를 들 때 사용할 수 있으며 like와 같은 뜻임.
The store sells electrical goods such as[=like] TV sets and computers.
그가게는 TV와 컴퓨터 같은 전자 제품을 판매한다.

1 이끼에 대한 내용과 일치하는 것은?

① 원래는 호수에 서식했다.
② 집단을 이루어 서식한다.
③ 스스로 광합성을 할 수 없다.
④ 몸 안에 물을 저장할 수 있다.
⑤ 햇빛이 잘 드는 지역에 서식한다.

2 이 글의 빈칸에 공통으로 들어갈 말로 가장 알맞은 것은?

① let
② give
③ help
④ have
⑤ make

3 이 글에서 이끼가 하는 일로 언급되지 <u>않은</u> 것은 무엇인가?

① 흙이 침식되는 것을 막는다.
② 작은 곤충들의 삶의 터전이 된다.
③ 다른 동물의 식량이 되기도 한다.
④ 사람의 상처 치료에 도움이 된다.
⑤ 다른 식물이 자랄 수 있도록 물을 머금는다.

4 이 글의 밑줄 친 act as a pioneer species의 근거가 되는 것을 찾아 우리 말로 쓰시오.

_____

WORDS

underestimate
[ʌ̀ndəréstimeit] 통 과소평가하다
moss [mɔ(:)s] 명 이끼
evolve [iválv] 통 진화하다, 발달하다
adapt to ~에 적응하다
convert [kənvə́:rt] 통 바꾸다, 전환하다
tight [tait] 형 빽빽한, 꽉 찬
store [stɔ:r] 통 저장하다, 보관하다
hold [hould] 통 보유하다
preferred [pri:fə́:rd] 형 선호되는, 우선의
moist [mɔist] 형 촉촉한
shady [ʃéidi] 형 그늘진
ecosystem [í:kousistəm] 명 생태계
moisture [mɔ́istʃər] 명 습기
creature [krí:tʃər] 명 생물
erosion [iróuʒən] 명 침식, 부식
soak up ~을 흡수하다
break down 부수다
pioneer [pàiəníər] 명 개척자, 선구자

> **직독직해**

This is because / they cannot store water / inside them.

_____

People / may not like / mosses / because of where they grow.

_____

Mosses / act as a pioneer species / in places / which don't have life yet.

_____

[1~2] 밑줄 친 단어와 반대 의미의 단어를 고르시오.

1 Reducing sodium in your diet will help to <u>lower</u> your blood pressure.

① raise ② decrease ③ cause ④ prevent ⑤ cure

2 They were <u>fearless</u> in the face of danger.

① thoughtless ② considerate ③ afraid ④ polite ⑤ rude

[3~5] 빈칸에 알맞은 단어를 〈보기〉에서 찾아 쓰시오.

| 보기 | native | evolved | moist | nocturnal | rescued |

3 When it rains, the air becomes _____.

4 Some people believed that humans _____ from apes.

5 The eagle is _____ to North America.

6 밑줄 친 부분의 쓰임이 다른 하나를 고르시오.

① We are going to sell used items <u>to raise</u> money.

② Did she give it up <u>to raise</u> a family?

③ This event was held <u>to raise</u> money for children.

④ I don't think that's the best place <u>to raise</u> a child.

⑤ A website was created <u>to raise</u> funds.

[7~8] 밑줄 친 부분을 어법에 맞게 고쳐 쓰시오.

7 I like science fiction movies <u>such</u> *Interstellar* and *Star Wars*.

_____

8 When I arrived at the station, the train <u>already left</u>.

_____

[9~10] 우리말과 뜻이 같도록 주어진 단어를 배열하여 문장을 완성하시오.

9 아보카도 하나에는 약 30그램의 지방이 있다.

(about / has / of / one avocado / 30 grams / fat)

_____

10 박쥐는 먹이를 물 수 있을 정도로 가까워질 때까지 땅바닥을 기어간다.

(crawls / the bat / until / to bite its victim / it is / enough / close)

_____

07
UNIT

25 | At Jurassic World

Why do we believe dinosaurs were reptiles? Were they really reptiles? Dinosaurs evolved from reptiles but they developed some different characteristics. First, reptiles have limbs on their sides but dinosaurs had limbs below their bodies. This means that dinosaurs could run faster and longer than reptiles. The reason is that running with limbs on the sides squeezes the lungs and it makes reptiles easily run out of breath. But dinosaurs could keep running and breathing at the same time. This is especially important when hunting.

Second, reptiles are cold-blooded but dinosaurs were slightly warm-blooded. Therefore, reptiles have to spend many hours in the morning sitting in the sun to warm up. Before their bodies are warmed up, reptiles cannot move well. So they are vulnerable to attack at such times. But dinosaur blood was a little warm so they could move around quicker after they wake up. This made _____ _____.

Finally, reptiles have scales on their skin but most dinosaurs had <u>feathers</u> covering their skin. These feathers probably helped the dinosaurs stay warm and identify each other. The color of the feather told if a dinosaur was a friend or an enemy. For example, scientists think Tyrannosaurus Rex had feathers since its relative Yutyrannus had them.

* Tyrannosaurus Rex 티라노사우루스
* Yutyrannus 유티라누스

Grammar Note

10행: 분사 구문에서 접속사를 남기는 경우

분사구문의 접속사는 의미를 명확하게 표시하기 위해서 생략하지 않고 남기는 경우도 있음.

He always uses his thick glasses when reading.
그는 독서를 할 때면 언제나 두꺼운 안경을 쓴다.

21행: 의문사가 없는 간접의문문

의문사가 없는 간접의문문은 어순이 [if/ whether + 주어 + 동사]이며 '~인지 (아닌지)'로 해석됨.

Let me ask if they have any seats left.
남은 자리가 있는지 물어볼게.

Did you ask whether she is coming?
그녀가 오는지 물어봤니?

---

1 이 글의 주제로 가장 알맞은 것은?

① 공룡의 진화 과정
② 현대 파충류의 특징
③ 공룡이 파충류와 다른 점
④ 공룡 멸종의 다양한 원인
⑤ 현재까지 남아 있는 공룡의 흔적

2 다음 중 공룡에 관해 옳지 <u>않은</u> 것은?

① 깃털이 있었다.
② 온혈동물에 가깝다.
③ 사지가 몸 아래에 있었다.
④ 신체 구조상 빨리 달릴 수 없었다.
⑤ 달리면서 동시에 호흡도 할 수 있었다.

3 이 글의 빈칸에 들어갈 말로 가장 알맞은 것은?

① reptiles easier to find
② reptiles different from mammals
③ dinosaurs popular among children
④ dinosaurs more vulnerable to attack
⑤ dinosaurs more successful than reptiles

4 이 글의 밑줄 친 <u>feathers</u>가 하는 역할 2가지를 찾아 우리말로 쓰시오.

직독직해

Dinosaurs / could keep running and breathing / at the same time.

They / are vulnerable / to attack / at such times.

These feathers / probably / helped / the dinosaurs / stay warm / and / identify each other.

Symbols for Words

The invention of writing has advanced human society. Writing lets people keep track of what they do and communicate this to others. This was true of the earliest <u>examples</u> of writing systems. Examples are the cuneiform of Mesopotamia, the hieroglyphics of Egypt, and the alphabet of the Phoenicians.

The Mesopotamians wrote on clay with cuneiform symbols. But each of the symbols was different and was difficult to remember. The same was true for Egyptian hieroglyphics. Both writing systems recorded business deals, literature, and government documents of their societies. But the symbols were _____ and had to be studied for many years. Only professionals could read or write.

The Phoenician alphabet was different because it has symbols for sounds and was easy to learn. And the Phoenicians used their alphabet wherever they went. They traded throughout the Mediterranean region, including with Greece. The Greeks found the Phoenician alphabet very useful. In fact, they used it to make their own alphabet. While keeping most of the letters, they added vowel letters. And this Greek alphabet was then copied by the Romans for their alphabet. With the Roman Empire spreading all over Europe, most European countries made their alphabets based on the Roman.

* cuneiform 설형 문자
* hieroglyphic 상형 문자

Grammar Note

9행: each의 수일치
each는 단수 취급하므로 단수 동사가 와야함.

Each one of them is wearing different clothes.
그들은 각각 다른 옷을 입고 있다.

23행: with가 쓰인 분사구문
with가 사용된 분사구문은 부대상황, 원인, 이유 등을 나타낼 때 쓰임.

She looked at me angrily with her arms crossed.
(부대상황)
그녀는 팔짱을 끼고 화가 나서 나를 바라보았다.

With my parents living in Vancouver, I can see them only once in a while. (이유)
우리 부모님이 밴쿠버에 살고 있어서 나는 그분들을 가끔씩만 만날 수 있다.

1 이 글의 주제로 가장 알맞은 것은?

① 문자의 탄생과 발달
② 최초의 사전 편찬 배경
③ 알파벳과 로마자의 차이
④ 가장 뛰어난 문자와 언어
⑤ 알파벳을 사용하는 국가들

2 이 글의 빈칸에 들어갈 말로 가장 알맞은 것은?

① easy
② clear
③ fresh
④ funny
⑤ complicated

3 페니키아 알파벳에 대한 내용과 일치하지 <u>않는</u> 것은?

① 소리에 대한 기호가 있었고 배우기 쉬웠다.
② 그리스인들은 여기에 모음을 추가했다.
③ 전문가만이 읽을 수 있는 문자였다.
④ 그리스와 로마 알파벳에 영향을 주었다.
⑤ 유럽 전역에 걸쳐 알파벳의 기초가 되었다.

4 이 글의 밑줄 친 <u>examples</u>가 가리키는 것 3가지를 찾아 영어로 쓰시오.

_____

WORDS

invention [invénʃən] 몡 발명
advance [ədvǽns] 통 발전시키다
keep track of ~을 기록하다
communicate [kəmjúːnəkèit] 통 전하다, 알리다
example [igzǽmpl] 몡 보기, 사례
clay [klei] 몡 점토
record [rikɔ́ːrd] 통 기록하다
deal [diːl] 몡 거래, 거래서
literature [lítərətʃùər] 몡 문학
professional [prəféʃənəl] 몡 전문가
Mediterranean [mèditəréiniən] 혱 지중해의
region [ríːdʒən] 몡 지역
letter [létər] 몡 문자
vowel [váuəl] 혱 모음의
copy [kápi] 통 복사하다, 모방하다
based on ~에 기초해서

직독직해

Each of the symbols / was different / and was difficult / to remember.

_____

The Phoenicians / used / their alphabet / wherever they went.

_____

They / used / it / to make / their own alphabet.

_____

27 | Physical Communication

Touch is the purest form of communication. Touch is as readily understood as a long barrage of words, instructions, or directives. As a matter of fact, words are often not necessary at all. But physical contact, touching, is essential to the mental and physical health of all creatures. Positive touch stimulation is critical in the well-being and healthy development of all animals.

All people instinctively want to be touched in loving and gentle ways. A soft, heart-felt touch is physiologically <u>therapeutic</u>—it reduces the release of stress hormones and increases the flow of endorphins. Touching gives a feeling of security and well-being, both necessary for a happy life.

Then, there's the other type of touching—the bad kind. Harsh or abusive touches trigger the "fight or flight" response. Such destructive touching creates stress, fear, and trauma—all negative reactions to the negative touching. Studies have shown that the majority of juvenile delinquents grew up in environments of little or no physical contact or one in which the contact was painful, harsh, and brutal.

Don't forget: mankind has been blessed with five senses: sight, sound, taste, smell, and of course, touch. Be sure to give friends and family members the privilege of benefiting from the simple gesture of a soft, loving touch. There's no downside to the action—it's a win-win gift.

Grammar Note

16행: 부정적 의미의 little
little은 불가산명사를 수식하는 수량 형용사이며 a little은 긍정의 의미,
little은 부정의 의미로 사용됨.
I have a little water. 나는 물이 좀 있다.
I have little water. 나는 물이 거의 없다.

19행: be sure to
[be sure to 동사원형]은 '꼭 ~하도록 해라'는 의미.
Be sure to lock the door before you leave.
나가기 전에 문을 꼭 잠그도록 해라.

1 이 글의 요지로 가장 알맞은 것은?

① 신체적인 접촉만으로 병을 치료할 수 있다.

② 신체적인 접촉은 인간의 오감 중에서도 가장 중요하다.

③ 신체적인 접촉보다 정신적 건강을 유지하는 것이 중요하다.

④ 신체적인 접촉은 장애인들을 위한 새로운 의사소통 수단이 될 수 있다.

⑤ 신체적인 접촉은 사람이 느끼고 행동하는 방식에 영향을 미칠 수 있다.

2 이 글의 밑줄 친 therapeutic과 의미가 가장 가까운 것은?

① feeling

② healing

③ smiling

④ refreshing

⑤ touching

3 이 글에서 유추할 수 있는 내용은 무엇인가?

① 말이 신체적인 접촉보다 더 중요하다.

② 부정적인 접촉도 없는 것보다는 있는 것이 낫다.

③ 신체적인 접촉만으로는 의사소통에 한계가 있다.

④ 신체적인 접촉은 10대들의 행동 방식에 영향을 줄 수 있다.

⑤ 어떤 방식의 접촉이든 자주 하면 할수록 건강에는 이롭다.

4 파괴적인 접촉이 유발할 수 있는 문제점 3가지를 찾아 영어로 쓰시오.

_____

_____

WORDS

readily [rédəli] ⊕ 쉽게, 선뜻

barrage [bərá:ʒ] 몡 연속, 빗발침

instruction [instrʌ́kʃən] 몡 명령, 지시

directive [diréktiv] 몡 명령, 지시

essential [əsénʃəl] 혱 없어서는 안 될, 필수적인

stimulation [stìmjuléiʃən] 몡 자극, 흥분

critical [krítikəl] 혱 중요한, 중대한

instinctively [instíŋktivli] ⊕ 본능적으로, 직관적으로

physiologically [fìziəládʒikəli] ⊕ 생리적으로

flow [flou] 몡 흐름, 공급(량), 유입

harsh [hɑ:rʃ] 혱 거친, 난폭한, 무자비한

abusive [əbjú:siv] 혱 학대하는, 혹사하는

trigger [trígər] 동 ~을 유발하다

flight [flait] 몡 도주, 도피

destructive [distrʌ́ktiv] 혱 해를 끼치는

trauma [tráumə] 몡 (정신적) 충격

juvenile delinquent [dʒú:vənl dilíŋkwənt] 몡 비행소년

brutal [brú:tl] 혱 잔인한, 난폭한

mankind [mænkáind] 몡 인류

be blessed with ~로 축복받다

privilege [prívəlidʒ] 몡 특권

benefit from ~에서 이득을 얻다

downside [dáunsàid] 몡 불리한 면, 부정적인 면

win-win [wínwín] 혱 양측에 다 유리한

직독직해

Physical contact, touching, / is essential / to the mental and physical health / of all creatures.

_____

All people / instinctively / want to be touched / in loving and gentle ways.

_____

Touching / gives / a feeling of security and well-being, / both necessary / for a happy life.

_____

28 | A Living Community

What do a bee, an owl, and a seed all have in common? They all live together in the same ecosystem. An ecosystem is a particular environment where plants and animals live, reproduce, and interact. It can be as small as a puddle or as large as the Brazilian rainforest.

Each part in a particular ecosystem has a role to play in keeping the system balanced. For example, in a grassland area, the role of bees is to spread pollen from flower to flower so that new flowers will grow. The goal of the grass is to provide seeds for the mice to eat. An owl's job is to eat the mice so that the population of mice does not become too large.

Another important factor of ecosystems is non-living things such as climate, soil type, and water availability. Roy Clapham first thought of ecosystems in 1930 as a way to explain how living things interact with each other and their environments. Ecosystems can evolve over time if the environment changes, or animals die or new animals come to live there. This happened when scientists brought rabbits to Australia. Since rabbits had no natural enemies in Australia, the rabbit population grew so large that the rabbits ate all of the grass. When the grass disappeared, the soil started to blow away, and the area changed from grassland to a desert.

Grammar Note

8행: keep＋목적어＋과거분사
[keep + 목적어 + 과거분사]는 '목적어를 ~ 상태로 유지하다'는 의미임.
Please keep the window closed.
창문을 닫은 채로 두세요.

19~20행: 원인과 결과를 나타내는 so ~ that
[so + 형용사/부사 + that + 주어 + 동사]는 '너무 ~해서 ~하다'라는 의미로 that 뒤에는 결과가 나옴.
The book was so difficult that I gave up.
그 책은 너무 어려워서 나는 포기했다.

1 이 글의 주제로 가장 알맞은 것은?

① 생태계의 파괴의 원인
② 생태계 복원 방법과 사례
③ 생태계의 균형과 상호 작용
④ 생태계 내 동물의 번식과 진화
⑤ 지구 온난화가 생태계에 미치는 영향

2 이 글에서 유추할 수 있는 내용은 무엇인가?

① 생태계는 자연적으로 회복할 수 있다.
② 머지않아 벌을 더 이상 볼 수 없게 될 것이다.
③ 올빼미가 없어지면 쥐의 개체수가 줄어들 것이다.
④ 지구온난화로 인해 생태계에 큰 변화가 있을 것이다.
⑤ 생태계에 사람이 개입하면 큰 재앙을 초래할 수 있다.

3 이 글의 밑줄 친 goal과 의미가 가장 가까운 것은?

① cause
② result
③ attempt
④ demand
⑤ purpose

4 호주에서 목초지가 사막으로 바뀐 이유는 무엇인가?

① 기온이 상승해서
② 비가 오지 않아서
③ 사람들이 나무를 모두 베어서
④ 토끼들이 풀을 모두 먹어버려서
⑤ 꽃가루를 퍼뜨리는 벌이 없어져서

직독직해

An ecosystem / is a particular environment / where plants and animals live, / reproduce, / and interact.

It / can be / as small as a puddle / or / as large as the Brazilian rainforest.

The goal / of the grass / is to provide seeds / for the mice to eat.

Review Test

[1~2] 밑줄 친 단어와 비슷한 의미의 단어를 고르시오.

1 Space exploration has greatly <u>advanced</u> our knowledge of the universe.
   ① supported   ② destroyed   ③ invented   ④ developed   ⑤ formed

2 Gulf War was <u>triggered</u> by Iraq's invasion of Kuwait.
   ① prevented   ② caused   ③ worsened   ④ negotiated   ⑤ agreed

[3~5] 빈칸에 알맞은 단어를 〈보기〉에서 찾아 쓰시오.

보기	vulnerable	professional	reproduce	climate	identify

3 A lot of plants _____ by seeds.

4 This plastic container is _____ to heat.

5 This country's _____ is ideal for growing coffee trees.

6 밑줄 친 부분의 쓰임이 다른 하나를 고르시오.

   ① He asked me <u>whether</u> I'm joining the football team.
   ② Do you know <u>whether</u> he is invited?
   ③ I was wondering <u>whether</u> you would like to come.
   ④ <u>Whether</u> you believe it or not, his story is true.
   ⑤ I'm not sure <u>whether</u> I should stay or not.

[7~8] 밑줄 친 부분을 어법에 맞게 고쳐 쓰시오.

7 Each member of the team <u>have</u> a different role.

_____

8 Be sure <u>of turning</u> all the lights off before you leave.

_____

[9~10] 우리말과 뜻이 같도록 주어진 단어를 배열하여 문장을 완성하시오.

9 파충류는 양지에 앉아 몸을 데우는 데 많은 시간을 보내야 한다.
   (many hours / to warm up / reptiles / spend / have to / sitting in the sun)

_____

10 대부분의 유럽 국가들이 로마자에 기초하여 자체 알파벳을 만들었다.
   (the Roman / European countries / most / made / based on / their alphabets)

_____

08
UNIT

29 | All in the Mind

Mental health allows us to learn new things and manage one's emotions. With good mental health, we can also form and maintain good relationships with others. And we can deal with change. All of these skills are necessary for living and working well. Therefore, mental health is the basis of all health in general.

One important aspect of mental health is managing stress. (A) Even just thinking about stress can be stressful. (B) Stress is the brain response to any demand, pressure, or frustration. (C) A common cause of stress on the brain is change. (D) But when stress becomes overwhelming, it can damage our mental and physical health. (E) It may cause digestive troubles, sleep problems, and lowered immunity. _____, it can damage our mood, our relationships, and our quality of life.

We can maintain good mental health by taking good care of ourselves. Exercise is important for releasing healthy chemicals in our brain. Getting enough rest, enough sleep, and eating a healthy diet can help us feel better mentally. Staying in touch with friends and family is also important for mental health. Above all, the willingness to reduce stress is a key to maintaining good mental health.

Grammar Note

7, 9, 10, 16, 17, 18, 19, 21행: 동명사의 역할

동명사는 명사처럼 문장 안에서 주어, 보어, 목적어로 쓰일수 있음.

Managing stress is important. (주어)

스트레스 관리는 중요하다.

Today's topic is managing stress. (보어)

오늘의 주제는 스트레스 관리이다.

The teacher talked about managing stress. (전치사의 목적어)

선생님은 스트레스 관리에 대해 말씀하셨다.

1 정신 건강에 있어서 가장 중요한 것으로 강조하고 있는 것은?

① 충분한 휴식을 취한다.
② 매일 꾸준히 운동을 한다.
③ 정기적으로 정신과 치료를 받는다.
④ 스트레스를 줄이기 위해 노력한다.
⑤ 주변 사람들과 좋은 관계를 유지한다.

2 이 글의 빈칸에 들어갈 말로 가장 알맞은 것은?

① However
② Otherwise
③ By the way
④ In other words
⑤ On the other hand

3 정신 건강을 유지할 수 있는 방법으로 언급되지 <u>않은</u> 것은 무엇인가?

① 운동을 하는 것
② 여행을 떠나는 것
③ 충분한 잠을 자는 것
④ 가족과 가까이 지내는 것
⑤ 몸에 좋은 음식을 섭취하는 것

4 다음 문장이 들어가기에 가장 알맞은 곳은?

We all need some positive stress to perform well.

① (A)   ② (B)   ③ (C)
④ (D)   ⑤ (E)

직독직해

Mental health / is the basis / of all health / in general.

We / can maintain / good mental health / by taking good care of ourselves.

The willingness / to reduce stress / is a key / to maintaining good mental health.

In the Crusades, European Christian soldiers fought Islamic armies. The crusaders had a strong religious motivation for fighting. Jerusalem was the birthplace of Jesus Christ so it was a very important place to Christianity. And it was originally part of the Roman Empire which was Christian. But in the 7th century, it was conquered by Islamic armies along with Egypt and North Africa. The crusaders hoped to retake Jerusalem.

The First Crusade started in 1095 because the emperor of Constantinople asked for help. (A) He felt his city was threatened by Islamic armies. (B) He requested military aid from Western Europe. (C) In response, the Pope in Rome called for a Crusade to defend the fellow Christian city. (D) This First Crusade succeeded and even retook some of the cities in the Middle East, including Jerusalem. (E) Jerusalem was thought too far away from Europe.

But this first success led to Islamic states calling for a holy war. In 1144, they retook one of the cities won by the First Crusade. This immediately led to the Second Crusade which was a failure for the crusaders. When Jerusalem was retaken by Islamic armies, the Third Crusade was started but ended with no victory, only a peace treaty. The Fourth Crusade did not fight any Islamic armies but was fought against Constantinople. Smaller Crusades continued for centuries but Jerusalem remained in the hands of Islamic states.

1 십자군 전쟁의 발생 배경은 무엇인가?

① 예루살렘을 차지하기 위해서

② 종교적 박해를 벗어나기 위해서

③ 유럽에서 경제적 우위에 서기 위해서

④ 중동을 지나 아시아까지 점령하기 위해서

⑤ 이집트와 북아프리카를 식민지화하기 위해서

2 이 글의 내용과 일치하지 <u>않는</u> 것은?

① 예루살렘은 원래 로마 제국의 일부였다.

② 제1차 십자군 원정은 다른 나라의 요청에서 시작되었다.

③ 제1차 십자군 원정은 성공적이었다.

④ 십자군 원정은 승리 없이 끝난 적도 있다.

⑤ 십자군은 수차례의 원정을 통해 결국 예루살렘을 차지했다.

3 밑줄 친 (A)~(E) 중 글의 흐름과 관계가 <u>없는</u> 것은?

① (A)　　　　　② (B)　　　　　③ (C)

④ (D)　　　　　⑤ (E)

4 예루살렘이 기독교에 있어 중요한 이유를 우리말로 쓰시오.

_____

직독직해

It / was originally part of the Roman Empire / which was Christian.

_____

He / felt / his city was threatened / by Islamic armies.

_____

This first success / led to Islamic states / calling for a holy war.

_____

If you could go on a vacation today, what would you go to see? Would you go to swim in the ocean? Would you go to a famous museum? People travel to see many amazing things. But some of the surprising things that people now travel to see are pumpkins.

Every October thousands of people travel from up and down the West Coast of America to pay homage to the greatest gourd in the world: the pumpkin. The festivities begin with the World Championship Pumpkin Weigh-Off. Hundreds of contestants arrive with pumpkins weighing over 1,000 pounds! Then they weigh all of them to see which one is the heaviest. People get so excited to watch the contest! Winners get paid $6 per pound, and this year the winner was Thad Starr of Oregon. His pumpkin weighed 1,524 pounds, a record weight. It was amazing, and he won over $9,000!

The festival started in 1971 as a way to attract more tourists to Half Moon Bay, a small town on the coast of California south of San Francisco. The sleepy town needed something to pep it up. So the local officials decided to start a pumpkin festival _____ local farmers grow them every year. They even added a pumpkin beauty contest just for fun. The most gorgeous gourd walks away with $500. Not bad money for a vegetable!

Grammar Note

1행: 가정법 과거의 의미
가정법 과거는 현재 사실의 반대를 말할 때에도 쓰이지만 가상의 상황을 가정할 때에도 쓰임.

If you were a millionaire, what would you do?
만일 당신이 백만장자라면 무엇을 하시겠습니까?

12행: get + p.p.
수동태(be동사 + p.p.)에서 be동사 대신 get이 쓰이기도 하는데 get은 '발생, 변화'의 의미가 있는 경우에만 쓰이며 '상태'를 나타낼 때는 사용되지 않음.

They got married last month.
그들은 지난달에 결혼했다.

The book is loved by many people.
그 책은 많은 사람들에 의해 사랑받는다.

(X) The book gets loved by many people.

1 호박 축제에는 주로 누가 참가할 것인가?

① 호박을 재배하는 농부

② 호박에 대해 알기 원하는 학생

③ 호박 관련 음식을 파는 식당 주인

④ 호박 관련 음식을 좋아하는 소비자

⑤ 호박 관련 기념품을 파는 상점 주인

2 이 글의 빈칸에 들어갈 말로 가장 알맞은 것은?

① as if

② since

③ even if

④ however

⑤ because of

3 이 글의 내용과 일치하지 <u>않는</u> 것은?

① 호박 축제는 10월에 열린다.

② 경쟁자들은 무게가 1천 파운드 이상인 호박을 판매한다.

③ 상금은 가장 무거운 호박을 가져온 사람에게 지급한다.

④ 축제는 1971년에 시작했다.

⑤ 호박 미인 대회도 추가되었다.

4 Half Moon Bay에서 축제를 시작한 이유를 찾아 우리말로 쓰시오.

_____

WORDS

go on a vacation 휴가를 떠나다

amazing [əméiziŋ] ⑧ 굉장한, 놀랄 만한

up and down 이리저리, 왔다 갔다

homage [hάmidʒ] ⑲ 경의, 존경

gourd [gɔːrd] ⑲ 조롱박

festivity [festívəti] ⑲ 축제, 제전

contestant [kəntéstənt] ⑲ 출전자, 경쟁자

weigh [wei] ⑧ ~의 무게를 달다

contest [kάntest] ⑲ 경쟁, 경연

sleepy [slíːpi] ⑲ 활기 없는

pep up 활기를 띠게 하다

official [əfíʃəl] ⑲ 관리, 공무원

just for fun 재미 삼아, 그저 재미로

gorgeous [gɔ́ːrdʒəs] ⑲ 호화 스러운, 화려한

walk away with (상금 등을) 타다

직독직해

They / weigh / all of them / to see / which one is the heaviest.

_____

The sleepy town / needed / something / to pep it up.

_____

They / even / added / a pumpkin beauty contest / just for fun.

_____

Most people go to work in an office building or in a manufacturing plant, but not Steve. Steve's office consists of coral reefs, tropical fish, and lots of water. He does not wear a suit and a tie to a regular office. Instead, Steve wears a wet suit and an oxygen tank to work every day and swims deep in the ocean.

Steve is different from most men and women. His job is different as well. Steve earns a living _____ a scuba diving instructor. His fascination with diving started when his family took him on a scuba diving vacation a long time ago. Being underwater in the ocean was like being in another world. He felt free and excited _____ he swam among tropical fish and tiger sharks.

For most of Steve's life, he was a police officer. He was a scuba diver in his free time. Later, when he retired from his job as a police officer in England and moved to Indonesia, he trained for two months to become a full-time scuba diving instructor. Today, he's fully certified and can lead anyone on a diving trip. Each week Steve meets people from around the world, and he leads them into the sea—his new office. His only regret is that he did not begin this new profession when he was much younger.

Grammar Note

3행: consist of
consist of는 '~로 이루어지다, 구성되다'라는 의미임.
Water consists of hydrogen and oxygen.
물은 수소와 산소로 이루어져 있다.

19행: 명사절 접속사 that의 주격 보어 역할
접속사 that은 명사절을 이끌어 주격 보어의 역할을 할 수 있으며 이때 뒤에는 완전한 구조의 절이 와야 함.
The problem is that she made the same mistake.
문제는 그녀가 같은 실수를 반복했다는 것이다.

1 이 글의 주제로 가장 알맞은 것은?

① Steve's new job
② swimming with tropical fish
③ scuba diving as a popular sport
④ why some police officers became scuba divers
⑤ the process to become a scuba diving instructor

2 이 글의 빈칸에 공통으로 들어갈 말로 가장 알맞은 것은?

① by
② as
③ for
④ after
⑤ since

3 Steve에 대한 내용과 일치하지 <u>않는</u> 것은?

① 현재 스쿠버 다이빙 강사이다.
② 주변의 권유로 스쿠버 다이빙 강사가 되었다.
③ 인도네시아에서 스쿠버 다이빙 교육을 받았다.
④ 다이빙 자격증을 취득하였다.
⑤ 좀 더 일찍 스쿠버 다이빙을 시작하지 않은 것을 후회하고 있다.

4 다음 문장의 빈칸에 들어갈 말을 본문에서 찾아 쓰시오.

> Steve worked as a policeman before he _____, and he enjoyed scuba diving in his free time. Now, he is a _____ scuba diving instructor.

WORDS

manufacturing
[mæ̀njəfǽktʃəriŋ] 형 제조(업)의

coral reef 명 산호초

tropical [trápikəl] 형 열대의, 열대성의

oxygen [ɑ́ksidʒən] 명 산소

earn a living 생계를 꾸리다, 생활비를 벌다

instructor [instrʌ́ktər] 명 교사, 가르치는 사람

fascination [fæ̀sənéiʃən] 명 매혹, 매료

underwater [ʌ̀ndərwɔ́ːtər] 부 수중에서

retire [ritáiər] 동 퇴직하다, 은퇴하다

certified [sə́ːrtəfàid] 형 자격을 갖춘, 면허증을 가진

lead [liːd] 동 이끌다, 인도하다

regret [rigrét] 명 후회, 유감 동 후회하다, 유감이다

profession [prəféʃən] 명 직업, 전문직

직독직해

He / does not wear / a suit and a tie / to a regular office.

Being underwater in the ocean / was / like being in another world.

He's fully certified / and / can lead anyone / on a diving trip.

[1~2] 밑줄 친 단어와 반대 의미의 단어를 고르시오.

1 They did their best to <u>defend</u> their country.
　① revenge　　② yield　　③ attack　　④ lose　　⑤ guard

2 Nothing particular happens in this <u>sleepy</u> town.
　① active　　② sad　　③ angry　　④ serious　　⑤ cold

[3~5] 빈칸에 알맞은 단어를 〈보기〉에서 찾아 쓰시오.

> 보기　　gorgeous　　overwhelming　　living　　conquered　　manufacturing

3 He has been experiencing _____ stress from work.

4 The Mongol Empire _____ most of Asia and Eastern Europe.

5 She earns a _____ as a writer.

6 밑줄 친 부분의 쓰임이 다른 하나를 고르시오.
　① He is <u>swimming</u> in the pool.
　② I like <u>swimming</u> in the lake.
　③ <u>Swimming</u> in the river is dangerous.
　④ How about <u>swimming</u> in the pool?
　⑤ My hobby is <u>swimming</u>.

[7~8] 밑줄 친 부분을 어법에 맞게 고쳐 쓰시오.

7 How old are you, if you don't mind <u>I</u> asking?

_____

8 If I were you, I <u>didn't</u> make such a mistake.

_____

[9~10] 우리말과 뜻이 같도록 주어진 단어를 배열하여 문장을 완성하시오.

9 친구와 가족과 연락하며 지내는 것은 정신 건강에 중요하다.
(is / friends and family / for mental health / important / staying in touch with)

_____

10 그 축제는 더욱 많은 관광객을 끌어들이기 위해 1971년에 시작되었다.
(as a way / started / in 1971 / the festival / to attract more tourists)

_____

09
UNIT

Have you ever heard of Luxembourg? It is one of the least populated countries in Europe, but you may be surprised to know that this small country has three official languages; Luxembourgish, French, and German. The main reason is because the tiny country sits between France and Germany. Immigration and trade with these bigger neighbors have

always been great. And because Luxembourg is small, all three languages are used everywhere in the country, in school and in society.

Schools in Luxembourg use all three languages. Kindergarten and elementary school use Luxembourgish at first. Then students study German from age six and French from age seven. High schools are taught in French. High school students may also study English, Latin, Spanish, or Italian. (Half, is, learning languages, their time, spent). The main university in the country, the University of Luxembourg, teaches in French, German, and English.

The society also uses all three official languages. Luxembourgish is the language that Luxembourgers use to speak to each other. But it is a _____ language and not a popular written language. The main language in government is French. Members of Parliament may debate with each other in Luxembourgish, but all written documents are in French. And the media uses either German or French.

1 룩셈부르크에 대한 내용과 일치하지 <u>않는</u> 것은?

① 모든 정부 문서들은 프랑스어로 되어 있다.
② 시민들이 주로 사용하는 언어는 독일어이다.
③ 학교에서 처음 배우는 언어는 룩셈부르크어이다.
④ 공식 언어는 룩셈부르크어, 프랑스어, 독일어이다.
⑤ 고등학교 때는 영어, 스페인어 등을 배우기도 한다.

2 이 글의 빈칸에 들어갈 말로 가장 알맞은 것은?

① rare
② useful
③ spoken
④ common
⑤ unofficial

3 룩셈부르크가 세 가지 언어를 쓰는 이유는 무엇인가?

① 여러 민족이 모여 만든 국가이다.
② 정부가 다문화주의를 장려해 왔다.
③ 인접해 있는 나라와 교류가 활발했다.
④ 끊임없이 다른 나라들의 침략을 받았다.
⑤ 교육 차원에서 여러 언어를 장려해 왔다.

4 이 글의 ( ) 안에 주어진 단어를 우리말과 같은 뜻이 되도록 배열하시오.

그들 시간의 절반은 언어 학습에 쓰인다.

_____

WORDS

populate [pɑ̀pjuléit] 통 살다
official [əfíʃəl] 형 공식적인
Luxembourgish
[lʌksəmbə́ːrgiʃ] 형 룩셈부르크어
French [frentʃ] 명 프랑스어
German [dʒə́ːrmən] 명 독일어
tiny [táini] 형 아주 작은
sit [sit] 통 (어떤 곳에) 있다
immigration [ìməgréiʃən] 명 이민, 이주
trade [treid] 명 거래, 교역
kindergarten
[kíndərgɑ̀ːrtən] 명 유치원
elementary school 명 초등학교
main [mein] 형 가장 큰, 주된
written language 문어
parliament [pɑ́ːrləmənt] 명 의회, 국회
debate with ~와 토론하다
media [míːdiə] 명 매체

직독직해

The main reason / is because / the tiny country / sits / between France and Germany.

_____

All three languages / are used / everywhere in the country.

_____

Luxembourgish / is the language / that Luxembourgers use / to speak to each other.

_____

How old do you think chocolate is? Would you be surprised to learn chocolate has been grown in South America for more than three thousand years? Chocolate comes _____ the cacao bean. The Aztecs grew cacao and made drinks out of it at least three thousand years ago.

Chocolate did not become popular in Europe until around three hundred years ago when the Spanish brought it home from South America. It was so expensive that only royalty or very rich families could afford it. It was also a little different _____ the chocolate we eat today. Real chocolate tastes bitter like coffee, but modern chocolate has a lot of sugar in it.

Many doctors say eating chocolate is healthy because chocolate lowers blood pressure. Some doctors even suggest that it may help prevent cancer, but the modern version has a lot of sugar, so eating too much can make you gain weight or be at risk of disease.

Chocolate is one of the most popular gifts people enjoy receiving on special days such as birthdays, Christmas, and Valentine's Day. Americans love it so much that on average they eat eleven pounds (around 5 kgs) of it per year. But the Swiss, who eat the most chocolate, consume twice as much—twenty two pounds (around 10 kgs) of chocolate a year.

Grammar Note

1행: think류의 동사가 간접의문에 사용될 때 의문사의 위치
간접의문문에서 think류의 동사(think, suppose, guess, imagine 등)가 있는 경우 의문사는 문두에 위치함.
How old do you **guess** I am?
내가 몇 살일 것 같니?
(X) Do you guess how old I am?

16행: 사역동사 make
위 지문에서 사역동사 make의 목적격 보어로 원형부정사(동사원형) gain과 be가 쓰임.
They **made** us **participate** in the game.
그들은 우리를 그 경기에 참가시켰다.

1 이 글의 주제로 가장 알맞은 것은?

① the health benefits of chocolate
② how the Aztecs grew chocolate
③ how sugar saved the chocolate industry
④ the Spanish and their love for chocolate
⑤ historical and current information on chocolate

2 이 글의 빈칸에 공통으로 들어갈 말로 가장 알맞은 것은?

① to
② of
③ by
④ for
⑤ from

3 이 글의 내용과 일치하는 것은?

① 카카오 콩은 처음에 유럽에서 재배되었다.
② 스위스에서 처음으로 초콜릿을 즐겨 먹었다.
③ 진짜 초콜릿은 커피처럼 약간 쓴맛이 난다.
④ 유럽에서는 농부와 가난한 사람만 초콜릿을 먹었다.
⑤ 초콜릿은 미국에서 가장 많이 소비된다.

4 초콜릿이 건강에 이로운 점 2가지를 찾아 우리말로 쓰시오.

_____

WORDS

cacao bean 카카오 열매
royalty [rɔ́iəlti] 몡 왕위, 왕족, 특권 계급
afford [əfɔ́:rd] 통 ~할 여유가 있다
taste [teist] 통 ~의 맛이 나다
bitter [bítər] 톙 쓴
lower [lóuər] 통 감소시키다
blood pressure 몡 혈압
suggest [səʤést] 통 제안하다, 권하다
prevent [privént] 통 예방하다, 방지하다
version [və́:rʒən] 몡 (원형, 원물에 대한) 이형, 변형
gain [gein] 통 (무게, 힘, 속도 등을) 늘리다
on average 평균하여, 대략
per year 1년마다, 1년에
consume [kənsjú:m] 통 먹다, 마시다

직독직해

It / was so expensive / that only royalty or very rich families / could afford it.

_____

Many doctors / say / eating chocolate / is healthy / because / chocolate / lowers / blood pressure.

_____

Chocolate / is one of the most popular gifts / people / enjoy receiving.

_____

35 | The Fate of the Arctic

The Arctic is the region around the earth's North Pole. It is opposite the Antarctic region around the South Pole. Unlike the Antarctic, much of the Arctic consists of ice-covered sea. The Arctic includes the Arctic Ocean, and parts of Canada, Greenland, Russia, and Alaska. The Arctic is very, very cold. Average

winter temperatures can be as low as -40°C, and the coldest recorded temperature is approximately -68°C.

Nonetheless, the Arctic is an ecosystem that teems with life including organisms living in the ice, fish, and marine mammals living in the sea. There are also birds and land animals such as wolves, caribou, and polar bears. The one common trait of the animals in the Arctic is that they have a thick coat of fur or an extra-thick layer of fat, or both. The Arctic also has a lot of natural resources such as oil and gas.

Over the past several decades, a series of unusual changes have occurred in the Arctic. As the temperature of the Arctic has warmed, sea ice has been steadily decreasing. Scientists say that these changes in the Arctic have affected ecosystems, wildlife, human settlements, and the way of life of the indigenous people. Someday we might not be able to see polar bears standing on the ice or the Inuit hunting fish.

Grammar Note

9행: 동등비교
[A ~ as 원급 as B]는 'A는 B만큼 ~하다'라는 의미.
Tom is **as smart as** Jean.
톰은 진만큼 똑똑하다.

19행: 현재완료 진행형
현재완료 진행형은 과거부터 현재까지 계속되는 동작을 뜻함.
Julie **has been washing** her dog for over 40 minutes.
줄리는 40분 넘게 개를 씻기고 있는 중이다.

1 이 글의 주제로 가장 알맞은 것은?

① changing temperatures and the sea ice
② the Arctic's very extreme temperatures
③ the Arctic and its changing ecosystems
④ the importance of the Arctic's resources
⑤ animals and other life living in the cold areas

2 이 글에서 유추할 수 있는 내용은 무엇인가?

① 북극이 남극보다 춥다.
② 북극곰은 대개 홀로 생활한다.
③ 북극의 자원은 머지않아 고갈될 것이다.
④ 지구 온난화는 북극곰의 개체 수에 영향을 끼쳤다.
⑤ 북극은 앞으로 사람이 살 수 없는 환경이 될 것이다.

3 이 글의 밑줄 친 <u>approximately</u>와 의미가 가장 가까운 것은?

① over
② about
③ towards
④ regarding
⑤ throughout

4 이 글의 밑줄 친 <u>unusual changes</u>가 의미하는 것을 우리말로 쓰시오.

_____

직독직해

It / is opposite the Antarctic region / around the South Pole.

_____

The Arctic / also / has / a lot of natural resources / such as oil and gas.

_____

Someday / we / might not be able to see / polar bears / standing on the ice.

_____

Rats are so good at surviving and spreading that you might think there is no place on Earth that doesn't have any rats. But there is one place on Earth that people have worked very hard to keep rat free.

The province of Alberta, Canada, is one of very few places in the world that have no rats. In 1950, the Alberta Government established the Rat Patrol after farmers began losing their crops due to an infestation of rats coming from the neighboring province, Saskatchewan. (A) They set up a Rat Control Zone (RCZ) 600 km long and 30 km wide along the border and hired hundreds of people to stop the flow of rats. (B) Rat Patrol Officers inspect thousands of farms every year to stop the rat menace. (C) They check stacks of hay and farm buildings in the RCZ, and they supply farmers with free rat poison. (D) Sometimes they tear buildings down if they suspect there are rats living underneath. (E) Rats can carry many types of disease to humans.

Alberta has a zero-tolerance policy when it comes to rats. Anyone found with a pet rat could be fined $5,000 or spend 60 days in jail. Most people who live in Alberta have never seen a rat, and many people do not even know what they look like, and it is all because of the Rat Patrol.

Grammar Note

6행: no = not ~ any
no는 '하나도 ~하지 않는'의 의미로 not ~ any와 같은 뜻의 완전부정 표현.
They have no children. (= They don't have any children.)
그들은 자녀가 한 명도 없다.

17행: when it comes to
when it comes to는 '~에 관한 한'이라는 의미이며 여기서 to는 전치사임.
He is exact when it comes to money.
그는 돈에 관한 한 정확하다.

1 이 글의 주제로 가장 알맞은 것은?

① 쥐가 없는 지역

② 쥐와 전염병의 연관성

③ 캐나다에서 가장 청결한 도시

④ 쥐를 퇴치하는 가장 효과적인 방법

⑤ 사람들이 쥐를 좋아하지 않는 이유

2 다음 중 쥐 통제 방법이 <u>아닌</u> 것은 무엇인가?

① 농장 건물을 조사한다.

② 건초 더미를 점검한다.

③ 쥐약을 무료로 제공한다.

④ 쥐가 있다고 의심되는 건물을 부순다.

⑤ 이웃 도시와의 사이에 울타리를 친다.

3 밑줄 친 (A)~(E) 중 글의 흐름과 관계가 <u>없는</u> 것은?

① (A) ② (B) ③ (C)

④ (D) ⑤ (E)

4 다음 질문에 대한 답을 글에서 찾아 영어로 쓰시오.

> What is the punishment for anyone found with a pet rat in Alberta?

_____

WORDS

province [právins] 몡 (행정 구역으로서의) 주(州)

infestation [infestéiʃən] 몡 출몰, 침입

neighboring [néibəriŋ] 혱 이웃의, 근처의

border [bɔ́ːrdər] 몡 경계, 경계선

patrol [pətróul] 몡 순찰대, 경비대

inspect [inspékt] 통 면밀하게 살피다, 점검하다

menace [ménəs] 몡 위협

stack [stæk] 몡 더미

tear down 허물다

suspect [səspékt] 통 의심을 품다

underneath [ʌndərníːθ] 뷔 아래에

zero-tolerance policy 무관용 정책

when it comes to ~에 관한 한

fine [fain] 통 벌금을 부과하다

🔹 직독직해

There is one place / on Earth / that people have worked very hard / to keep rat free.

_____

Rat Patrol Officers / inspect / thousands of farms / every year / to stop the rat menace.

_____

Most people / who live in Alberta / have never seen a rat.

_____

[1~2] 밑줄 친 단어와 비슷한 의미의 단어를 고르시오.

1 We have to <u>consume</u> protein every day.
   ① grow   ② stop   ③ want   ④ produce   ⑤ eat

2 Another similar event will <u>occur</u> in the future.
   ① look   ② hold   ③ happen   ④ plan   ⑤ prevent

[3~5] 빈칸에 알맞은 단어를 〈보기〉에서 찾아 쓰시오.

보기	suggested	suspected	trade	menace	teems

3 Wild pigs are a _____ to the neighborhood these days.

4 This island _____ with coral reefs.

5 The police _____ her testimony because she had lied before.

6 밑줄 친 부분의 위치가 잘못된 것을 고르시오.

   ① <u>Who</u> do you think you are?
   ② <u>How old</u> do you guess that building is?
   ③ <u>What</u> do you imagine the world will be like in 100 years?
   ④ <u>Why</u> do you know he left for France?
   ⑤ <u>Where</u> do you suppose she is?

[7~8] 밑줄 친 부분을 어법에 맞게 고쳐 쓰시오.

7 There <u>isn't no milk</u> in the refrigerator.

_____

8 I have <u>seen never</u> anything like that before.

_____

[9~10] 우리말과 뜻이 같도록 주어진 단어를 배열하여 문장을 완성하시오.

9 룩셈부르크의 학교는 세 언어를 모두 쓴다.
   (all three languages / use / in Luxembourg / schools)

_____

10 지나치게 많이 먹으면 체중이 늘어나거나 질병에 걸릴 위험이 있다.
   (can / you / or / eating too much / make / gain weight / be at risk of disease)

_____

10
UNIT

The Reformation was a split in the Catholic Church. It created a new type of Christianity called Protestantism. In the Middle Ages, most people could not read or write. Only Catholic monks and priests could. But during the Renaissance, people became more educated. And the printing press spread new ideas, including the Bible. People started to read the Bible _____. They started to question <u>the things</u> the Catholic Church

did. For example, some thought the Church was wrongly collecting money selling forgiveness for sins. The result was the Protestant Reformation.

The Reformation was led by several people, most famously by the monk Martin Luther in Germany. Luther disagreed with the policies of the Pope. He thought the Church was wrong to take money in exchange for forgiveness of sins. He thought the Church did not use the best people but only used people close to those in power. He didn't like the Church giving loans and collecting interest on them. He also encouraged people to read the Bible for _____ in their local language. The Catholic Church at the time only used the Bible in Latin which most people could not read. His German-language Bible in 1534 helped greatly increase literacy.

* Protestantism : 개신교

Grammar Note

10행: 목적격 관계대명사의 생략
목적격 관계대명사는 생략할 수 있음.

Is this the watch (that) you got for your birthday?
(생략된 관계대명사는 got의 목적어)

이 시계가 네가 생일 때 받은 거니?

17행: [주격 관계대명사 + be동사]의 생략
[주격 관계대명사 + be동사]가 이끄는 형용사절은 관계사와 be동사를 생략할 수 있음.

The Kangaroo is one of <u>the animals</u> (which are) native to Australia.
캥거루는 오스트레일리아에 서식하고 있는 동물 중 하나이다.

1 이 글의 제목으로 가장 알맞은 것은?

① The History of the Bible
② Why the Reformation Came about
③ A New Leader of the Catholic Church
④ Why the Middle Ages were So Culturally Dark
⑤ How the Reformation Ended the Catholic Church

2 Martin Luther에 대한 내용과 일치하지 <u>않는</u> 것은?

① 종교 개혁을 주도하였다.
② 제대로 된 교육을 받지 못했다.
③ 문맹률을 낮추는 데 크게 기여하였다.
④ 라틴어로 된 성경을 독일어로 번역했다.
⑤ 가톨릭교회의 정책에 대해 동의하지 않았다.

3 이 글의 빈칸에 공통으로 들어갈 말로 가장 알맞은 것은?

① itself
② himself
③ yourself
④ ourselves
⑤ themselves

4 이 글의 밑줄 친 <u>the things</u>의 한 예를 찾아 우리말로 쓰시오.

_____

직독직해

They / started to question / the things / the Catholic Church did.

_____

He / thought / the Church was wrong / to take money / in exchange for forgiveness of sins.

_____

He / didn't like / the Church giving loans / and collecting interest on them.

_____

The Dead Sea is a salt lake which lies between Israel and Jordan. Why is it called the Dead Sea? There is such a high salt content that nothing can live in the Dead Sea water. In fact, it is almost nine times saltier than the world's oceans. There is no life in the Dead Sea other than a few types of bacteria that are able to adapt to the sea water. The water in the Dead Sea is extremely _____ to other living things. Any fish that flow downstream to the saltwater are instantly killed. Plants cannot grow in the water for the same reason: the high salt content. It is not only the saltiest place on the earth, but the lowest place as well. Surprisingly, it is 420 meters below sea level.

There are some good things about the salt: all this salt attracts tourists. Tourists come not only because it is the lowest point on the earth, but also because it has tremendously high levels of salt in the water. More salt in the water means people float more easily. People come to just float and read in the water. Some people also believe the water is healthy and good for their skin.

1 이 글에서 언급되지 <u>않은</u> 것은 무엇인가?

　① 사해의 염분
　② 사해의 온도
　③ 사해의 위치
　④ 사해 방문 이유
　⑤ 사해라고 불리는 이유

2 사해에 대한 내용과 일치하지 <u>않는</u> 것은?

　① 지구상에서 가장 짠 곳이다.
　② 소수의 박테리아만이 살 수 있다.
　③ 지구상에서 가장 낮은 장소이다.
　④ 관광객이 점점 줄어들고 있다.
　⑤ 사해의 물이 피부에 좋다고 믿는 사람도 있다.

3 이 글의 빈칸에 들어갈 말로 가장 알맞은 것은?

　① cold
　② sweet
　③ deadly
　④ healthy
　⑤ agreeable

4 해양 생물과 식물이 사해에서 살 수 없는 이유를 찾아 우리말로 쓰시오.

_____

_____

WORDS

content [kántent] 명 함유량, 산출량

salty [sɔ́:lti] 형 소금기 있는, 짠

bacteria [bæktí(:)əriə] 명 세균

adapt to ~에 적응하다

extremely [ikstrí:mli] 부 매우, 몹시

flow [flou] 동 흐르다, 흘러나오다

downstream [dáunstrí:m] 부 하류에, 강 아래로

instantly [ínstəntli] 부 즉시, 당장

surprisingly [sərpráiziŋli] 부 놀랍게도

sea level 명 해수면

tremendously [triméndəsli] 부 굉장히, 엄청나게

float [flout] 동 (물 위에) 뜨다, 떠오르다

직독직해

There is such a high salt content / that nothing can live / in the Dead Sea water.

_____

Any fish / that flow downstream to the saltwater / are instantly killed.

_____

More salt / in the water / means / people float more easily.

_____

© shutterstock/1000 Words

Every year in Gloucester, England, thousands of people gather from all over the world to enter a cheese race. A cheese race? That's right. People come from countries around the globe and roll a large cheese roll down a very steep hill. The hill is called Cooper's Hill, and the race is 90 meters from start to finish. The distance isn't much of a challenge. The incline is the real challenge. In some places, the hill is completely vertical. Whoever keeps control of the cheese and crosses the finish line first is the winner.

Men, women, and children all participate. It can be a dangerous event! The cheese can roll up to 112 kilometers per hour, and some participants <u>sustain</u> injuries ranging from sprained ankles to broken bones and concussions. Even the spectators need to be careful. While watching the events, some spectators have slipped and tripped on the precipitous hill, sustaining injuries in their falls. Occasionally a wayward cheese roll has rolled into the spectators.

Although the contest started over two hundred years ago, no one can explain its _____. Most people think it was either a pagan ritual or that it started when the Romans controlled England. It doesn't really matter why it started, or who started it. This contest is great fun, and everyone enjoys it.

Grammar Note

9행: 복합관계대명사 whoever
whoever는 선행사와 관계사가 결합된 형태로 anyone who로 풀어서 쓸 수 있음.
Whoever comes first will get the best seat.
(= Anyone who comes first will get the best seat.)
누구든 처음 오는 사람이 제일 좋은 좌석을 얻을 것이다.

20행: 명사절 주어를 대신하는 가주어 it
가주어 it은 to부정사, 동명사뿐만 아니라 명사절을 대신하는 가주어로 쓰일 수 있음.
It is clear <u>why they broke up</u>.
그들이 헤어진 이유는 뻔하다.

1 이 글의 주제로 가장 알맞은 것은?

① 다양한 치즈 시식 행사
② 영국에서 열리는 치즈 경주
③ 영국에서 치즈를 만드는 사람들
④ 영국에서 열리는 치즈 요리 대회
⑤ 치즈의 효능과 치즈에 관련된 역사

2 이 글의 밑줄 친 <u>sustain</u>과 의미가 가장 가까운 것은?

① kill
② feel
③ suffer
④ operate
⑤ maintain

3 이 글의 내용과 일치하는 것은?

① 행사는 일 년에 두 번 열린다.
② 행사는 원래 관광객의 관심을 끌기 위해 열렸다.
③ 나이 든 사람은 행사에 참가할 수 없다.
④ 참가자는 글로스터 주민으로 한정된다.
⑤ 구경꾼은 부상을 입을 수 있다.

4 이 글의 빈칸에 들어갈 말로 가장 알맞은 것은?

① past
② origin
③ review
④ location
⑤ adventure

WORDS	

gather [ɡǽðər] 동 모이다

roll down 굴러 떨어지다

steep [stiːp] 형 가파른

incline [inkláin] 명 경사, 기울기

vertical [vɔ́ːrtikəl] 형 수직인, 직각인

injury [índʒəri] 명 부상

range from A to B A에서 B까지 포함하다(범위이다)

sprain [sprein] 동 (발목 등을) 삐다, 접질리다

concussion [kənkʌ́ʃən] 명 뇌진탕

trip on ~에 걸려 넘어지다

precipitous [prisípitəs] 형 가파른, 깎아지른 듯한

occasionally [əkéiʒənəli] 부 때때로

wayward [wéiwərd] 형 제멋대로인, 말을 안 듣는

spectator [spékteitər] 명 관중, 구경꾼

pagan [péiɡən] 형 이교도의

ritual [rítʃuəl] 명 종교적인 의식, 풍습

origin [ɔ́(ː)ridʒin] 명 기원, 유래

직독직해

Thousands of people / gather / from all over the world / to enter a cheese race.

Whoever / keeps control of the cheese / and crosses the finish line first / is the winner.

It doesn't really matter / why it started, / or who started it.

Chili peppers are hot. They burn your mouth, and they make your eyes water. In fact, these peppers are so hot that police use them as a spray to control crowds. However, most peppers are added to soups or sauces to give them a stronger flavor. But what is the hottest pepper, and how is its "heat" measured?

The heat of food is measured on the Scoville scale named after Wilbur Scoville who invented this unit of measurement in 1912. Tabasco peppers have a rating of 50,000 on the scale, and most people find they are too hot to eat. Thai peppers have a rating of 100,000 and are only used for very diluted sauces. But the hottest pepper in the world is the Naga Jolokia. This spicy plant from India has a rating of over 1,000,000 on the Scoville scale! The Guinness Book of World Records added it as the world's hottest food in 2007 after it beat out the next hottest pepper—the Red Savina, which measured about 750,000.

Naga Jolokia means "ghost pepper." People call it that because it is so hot if you eat one, you may _____. Local people eat it only a very small piece at a time. Food companies are very excited about the new discovery because only one pepper can flavor, or spice up hundreds of meals.

Grammar Note

11행: too+형용사+to+동사원형
[too + 형용사 + to + 동사원형]은 '너무 ~해서 …할 수 없다'라는 뜻.
He is too busy to help her.
그는 너무 바빠서 그녀를 도울 수 없다.

18행: 부정대명사 one
one은 앞서 언급된 명사와 종류가 같지만, 정해지지 않은 대상을 가리킴.
This sweater is too small for me. Can you show me a bigger one(=a bigger sweater)?
이 스웨터는 저에게 너무 작아요. 더 큰 걸 보여주실 수 있나요?

1 이 글의 밑줄 친 **it**이 가리키는 것은 무엇인가?

① the Scoville scale

② the Tabasco pepper

③ the Red Savina pepper

④ the Naga Jolokia pepper

⑤ the Guinness Book of World Records

2 이 글의 빈칸에 들어갈 말로 가장 알맞은 것은?

① die

② feel

③ sleep

④ leave

⑤ laugh

3 이 글의 내용과 일치하지 <u>않는</u> 것은?

① 스코빌 척도는 사람 이름에서 따온 것이다.

② 레드 사비나는 세계에서 두 번째로 매운 고추이다.

③ 식품회사들은 음식을 맵게 하려고 나가 졸로키아를 사용한다.

④ 고추는 인간이 재배한 이후로 식용으로만 사용되어 왔다.

⑤ 나가 졸로키아는 기네스북에 세계에서 가장 매운 음식으로 기록되었다.

4 식품회사들이 흥분한 이유를 찾아 우리말로 쓰시오.

_____

_____

WORDS

chili pepper 명 고추

burn [bəːrn] 동 얼얼하게 하다

control [kəntróul] 동 제어하다, 통제하다

be added to ~에 더해지다, 첨가되다

flavor [fléivər] 동 풍미를 더하다, 맛을 내다 명 맛, 풍미

measure [méʒər] 동 측정하다, 평가하다

scale [skeil] 명 등급, 저울, 비례

rating [réitiŋ] 명 평점, 등급

dilute [dilúːt] 동 희석하다, 묽게 하다

beat out 이기다, 제치다

local [lóukəl] 형 지방의, 고장의

at a time 동시에, 단번에

discovery [diskʌ́vəri] 명 발견, 발견물

spice up 양념하다

직독직해

These peppers / are so hot / that police use them / as a spray.

_____

The Guinness Book of World Records / added / it / as the world's hottest food / in 2007.

_____

Local people / eat / it / only a very small piece / at a time.

_____

[1~2] 밑줄 친 단어와 반대 의미의 단어를 고르시오.

1 There has been a precipitous decline in sales.
   ① movable   ② changing   ③ moderate   ④ upward   ⑤ steep

2 Oil floats on water because it is less dense.
   ① sinks   ② throws   ③ stands   ④ swims   ⑤ flies

[3~5] 빈칸에 알맞은 단어를 〈보기〉에서 찾아 쓰시오.

보기	sprained	literacy	flowed	wrongly	scale

3 Korea has a high _____ rate because Hangul is very easy to learn.

4 The boy was _____ accused as a thief.

5 He tripped over a rock and _____ his ankle.

6 밑줄 친 부분의 쓰임이 다른 하나를 고르시오.

   ① Could you lend me a one-dollar bill?
   ② I'll see you at one.
   ③ Can you tell me one more time?
   ④ If you need a pencil, here's one.
   ⑤ You can stay here for one or two weeks.

[7~8] 밑줄 친 부분을 어법에 맞게 고쳐 쓰시오.

7 The girl is too young to understanding such a book.

_____

8 I have two friends are from Canada.

_____

[9~10] 우리말과 뜻이 같도록 주어진 단어를 배열하여 문장을 완성하시오.

9 그는 사람들이 스스로 성경을 읽도록 장려했다.
   (encouraged / he / for themselves / to read / people / the Bible)

_____

10 그곳은 지구상에서 가장 짠 곳일 뿐만 아니라 가장 낮은 장소이기도 하다.
   (it is / but / not only / on the earth / as well / the saltiest place / the lowest place)

_____

memo

A 영어는 우리말로, 우리말은 영어로 쓰시오.

1 martyr _____   7 ~을 교환하다 _____

2 widespread _____   8 점차적으로 _____

3 handmade _____   9 분명한 _____

4 archer _____   10 날개가 있는 _____

5 celebrate _____   11 즉시, 당장 _____

6 association _____   12 전 세계적으로 _____

B 우리말과 뜻이 같도록 주어진 단어를 사용하여 문장을 완성하시오.

1 밸런타인데이의 역사는 분명하지 않다. (the history, Valentine's Day, clear)

_____

2 손으로 만든 카드를 교환하는 일이 흔해졌다.
   (exchange, handmade cards, had become, common)

_____

3 그것은 미국에서 가장 큰 축제일 중 하나이다. (one of the biggest holidays, in the United States)

_____

C 〈보기〉의 단어를 사용하여 요약된 글을 완성하시오.

보기	common	clear	handmade	exchange

Valentine's Day on February 14 is a day for people to _____ gifts with their loved ones. It originated with a Christian martyr named Valentine in Roman times. The holiday originally started with _____ cards but chocolates and flowers are now _____.

1

A 영어는 우리말로, 우리말은 영어로 쓰시오.

1 glacier _____

2 mud _____

3 look like _____

4 form _____

5 flow down _____

6 up to _____

7 폭포 _____

8 녹다 _____

9 조각하다 _____

10 해안 _____

11 그릇 _____

12 바닷물 _____

B 우리말과 뜻이 같도록 주어진 단어를 사용하여 문장을 완성하시오.

1 피오르는 바닷물로 이뤄진 길고 깊은 강이다. (fjords, long and deep rivers, seawater)

_____

2 그것의 바닥은 그릇 모양처럼 될 수 있다. (the floor, can, like a bowl)

_____

3 검은 진흙이 많이 발견될 수 있다. (a lot of, black mud, can, find)

_____

C 〈보기〉의 단어를 사용하여 요약된 글을 완성하시오.

| 보기 | seawater | glaciers | created | coast |

Fjords were _____ in the last Ice Age when _____ reached the sea. They are U-shaped on the bottom and filled with _____. There are two famous examples in Norway which have become UNESCO World Heritage Sites.

2

A 영어는 우리말로, 우리말은 영어로 쓰시오.

1 layer	_____	7 필수적인	_____
2 oxygen	_____	8 영양소, 영양분	_____
3 paralysis	_____	9 흡수하다	_____
4 work	_____	10 적절히, 제대로	_____
5 immune system	_____	11 기능하다, 작용하다	_____
6 shelf life	_____	12 심장병	_____

B 우리말과 뜻이 같도록 주어진 단어를 사용하여 문장을 완성하시오.

1 그것은 우리 몸이 칼슘을 흡수하기 위해 필요하다.
(it is needed, for our body, absorb calcium)

_____

2 비타민을 충분히 섭취하지 않으면 나쁜 영향이 있을 수 있다.
(not, get enough of a vitamin, can have, ill effects)

_____

3 비타민은 우리 건강에 중요하다. (vitamins, important, our health)

_____

C 〈보기〉의 단어를 사용하여 요약된 글을 완성하시오.

보기	paralysis	proper	prevent	essential

Vitamins are needed for the body to grow strong and have a _____ immune system. They can help _____ early aging and heart disease. Not eating vitamin B1 can cause _____.

A 영어는 우리말로, 우리말은 영어로 쓰시오.

1 various _____
2 growl _____
3 more and more _____
4 somehow _____
5 make up _____
6 rely on _____

7 재능이 있는 _____
8 시각의 _____
9 의사소통하다 _____
10 조련사, 트레이너 _____
11 사람, 개인 _____
12 나타내다, 표시하다 _____

B 우리말과 뜻이 같도록 주어진 단어를 사용하여 문장을 완성하시오.

1 거기서 그들은 영어로 의사소통하는 것을 연습할 수 있다.
(practice, communicate, in English there)

_____

2 점점 더 많은 사람들이 시골로 가고 있다. (more and more, moving, to the country)

_____

3 당신은 애완동물과 이야기하고 싶은가? (do you want, talk, your pets)

_____

C 〈보기〉의 단어를 사용하여 요약된 글을 완성하시오.

| 보기 | injured | thoughts | rely | communicate |

Animals cannot communicate with words but they use sounds, gestures, and even _____. Animal whisperers are people who can _____ with animals through thoughts. They can learn from the animal where it has pain or even how they were _____.

A 영어는 우리말로, 우리말은 영어로 쓰시오.

1 average _____

2 search for _____

3 unique _____

4 incredibly _____

5 conduct _____

6 observation _____

7 증거, 물증 _____

8 천문의 _____

9 명성, 소문 _____

10 해발, 고도 _____

11 쓸모없는 _____

12 수단, 방법 _____

B 우리말과 뜻이 같도록 주어진 단어를 사용하여 문장을 완성하시오.

1 그의 몸무게는 평균 아이보다 3배가 더 나간다. (times heavier, than, the average child)

_____

2 그곳의 평균 기온은 약 15°C이다. (average temperature, around, fifteen degrees Celsius)

_____

3 이 지역은 지구상에서 독특하다고 볼 수 있다. (The region, may, unique, on the earth)

_____

C 〈보기〉의 단어를 사용하여 요약된 글을 완성하시오.

보기	observe	average	rain	driest

The Atacama Desert in northern Chile is the _____ place on Earth. It is not especially hot but _____ may not fall there for centuries. Space scientists use it to practice for Mars or _____ the sky.

A 영어는 우리말로, 우리말은 영어로 쓰시오.

1 fill _____

2 saying _____

3 visually _____

4 pet _____

5 for a long time _____

6 make sure _____

7 구조, 구출 _____

8 육체의, 신체의 _____

9 눈이 먼, 장님의 _____

10 보조, 조력 _____

11 장애 _____

12 다양한 _____

B 우리말과 뜻이 같도록 주어진 단어를 사용하여 문장을 완성하시오.

1 개는 오랫동안 인간과 함께 생활해 왔다. (have lived, with humans, for a long time)

_____

2 양치기 개는 농부가 양을 이동시키는 것을 돕는다. (the sheep dog, help, move sheep)

_____

3 그것들이 깨끗한지 확인해야 한다. (have to, make sure, clean)

_____

C 〈보기〉의 단어를 사용하여 요약된 글을 완성하시오.

| 보기 | assistance | useful | blind | physical |

Dogs such as sheep dogs have been _____ to humans for a long time. They can also be guide dogs for the _____ or hearing dogs for the deaf. But it is best not to pet an _____ dog when it is working.

6

A 영어는 우리말로, 우리말은 영어로 쓰시오.

1 commercial _____

2 detect _____

3 military _____

4 civilian _____

5 agricultural _____

6 pesticide _____

7 기본적으로 _____

8 정확한 _____

9 지방의, 시골의 _____

10 뿌리다 _____

11 기능 _____

12 수행하다 _____

B 우리말과 뜻이 같도록 주어진 단어를 사용하여 문장을 완성하시오.

1 스마트폰은 많은 유용한 기능들을 수행할 수 있다. (smartphones, perform, useful functions)

_____

2 자전거는 점점 더 일반화되고 있다. (bicycles, becoming, increasingly common)

_____

3 일기예보는 항상 정확하지는 않다. (weather forecasts, always, accurate)

_____

C 〈보기〉의 단어를 사용하여 요약된 글을 완성하시오.

보기	flying	rural	military	deliveries

Drones are _____ robots that can be fun toys. They can also be used by the _____ for their missions. They are also used in farming or for making _____ .

A 영어는 우리말로, 우리말은 영어로 쓰시오.

1 scratch   _____
2 predator   _____
3 recreational   _____
4 species   _____
5 vicious   _____
6 claw   _____

7 치명적인   _____
8 전 세계적으로   _____
9 ~에 따르면   _____
10 묘사하다, 그리다   _____
11 영리적인, 상업상의   _____
12 민감한, 예민한   _____

B 우리말과 뜻이 같도록 주어진 단어를 사용하여 문장을 완성하시오.

1 오직 4종류의 상어만이 인간을 공격한다. (only about 4 species, will attack, humans)

_____

2 고래상어는 세계에서 가장 큰 물고기이다. (the whale shark, the largest fish)

_____

3 고래상어는 사람에게 전혀 위험하지 않다.
(the whale shark, not dangerous at all, to humans)

_____

C 〈보기〉의 단어를 사용하여 요약된 글을 완성하시오.

보기	attack	species	defend	encounter

People kill a lot more sharks than sharks kill people. Only a very few _____ of sharks actually _____ people. The best way to _____ against a shark is to hit it on the nose.

A 영어는 우리말로, 우리말은 영어로 쓰시오.

1 pure _____

2 commerce _____

3 ruler _____

4 issue _____

5 jewelry _____

6 primarily _____

7 귀중한, 값비싼 _____

8 빛나는 _____

9 원소, 요소, 성분 _____

10 부(富), 부유 _____

11 밀집한 _____

12 재정적으로 _____

B 우리말과 뜻이 같도록 주어진 단어를 사용하여 문장을 완성하시오.

1 그것은 부의 상징으로 쓰여 왔다. (has served, a symbol of wealth)

_____

2 최초의 금화는 이집트 파라오에 의해 만들어졌다.
(the first gold coins, make, Egyptian Pharaohs)

_____

3 그들은 가격이 계속 올라갈 것이라 믿는다. (believe, that, prices, continue to rise)

_____

C 〈보기〉의 단어를 사용하여 요약된 글을 완성하시오.

보기	financially	shiny	valuable	coins

Gold has been considered a _____ metal and a symbol of wealth for a long time. _____ made of gold were made ever since ancient Egypt. Gold is used today in medicine, in foods, and as a way to gain _____.

A 영어는 우리말로, 우리말은 영어로 쓰시오.

1 found _____

2 site _____

3 stairway _____

4 reconstruct _____

5 serpent _____

6 solar year _____

7 상태 _____

8 인상적인 _____

9 신전, 사원 _____

10 나타내다 _____

11 정사각형 모양의 _____

12 구조물, 건축물 _____

B 우리말과 뜻이 같도록 주어진 단어를 사용하여 문장을 완성하시오.

1 그것은 세계 7대 불가사의 중에 포함되어 있다.
(it, include, among, the Seven Wonders of the New World)

_____

2 그것은 원래 상태로 재건되었다. (it, has, reconstruct, its original state)

_____

3 각 계단에는 91개의 계단이 있다. (each, stairway, 91 steps)

_____

C 〈보기〉의 단어를 사용하여 요약된 글을 완성하시오.

보기	called	pyramid	site	one

The Mexican _____ at Chichen Itza is a popular tourist spot. It is _____ El Castillo which means "the castle" in Spanish. El Castillo is _____ of the Seven Wonders of the New World.

A 영어는 우리말로, 우리말은 영어로 쓰시오.

1 curved _____

2 structure _____

3 engineer _____

4 master _____

5 definitely _____

6 accommodate _____

7 경력 _____

8 명성, 평판 _____

9 건축가 _____

10 창조적인, 독창적인 _____

11 역사적 건축물 _____

12 역사적인 _____

B 우리말과 뜻이 같도록 주어진 단어를 사용하여 문장을 완성하시오.

1 세계에서 가장 높은 탑이었다. (it, the tallest tower, in the world)

_____

2 그는 건설 회사에 취직했다. (take a job, work, a construction company)

_____

3 그는 창의적인 건축가로서의 평판을 구축했다.
(developed, a reputation, a creative architect)

_____

C 〈보기〉의 단어를 사용하여 요약된 글을 완성하시오.

보기	designed	shocked	historical	tallest

The Eiffel Tower _____ people when it was built in 1889. It was the _____ tower in the world and had curves to accommodate the wind. The designer Gustave Eiffel also _____ the Statue of Liberty in New York.

A 영어는 우리말로, 우리말은 영어로 쓰시오.

1 rapid _____

2 shelter _____

3 clear _____

4 graze _____

5 carbon dioxide _____

6 soak up _____

7 홍수 _____

8 콩 _____

9 소 _____

10 채굴하다 _____

11 개울 _____

12 야자나무 _____

B 우리말과 뜻이 같도록 주어진 단어를 사용하여 문장을 완성하시오.

1 숲을 개간하는 데는 많은 목적이 있다. (there are, many purposes, clear a forest)

_____

2 홍수가 더 흔해질 것이다. (floods, more common)

_____

3 삼림 벌채의 양은 심각하다. (the amount of, deforestation, serious)

_____

C 〈보기〉의 단어를 사용하여 요약된 글을 완성하시오.

보기	large-scale	shelter	absorb	clear

People _____ a forest for getting wood, for farming, or for mining. But deforestation takes away food and _____ for animals, oxygen-producing trees, and rain-absorbing soil. The world is currently experiencing _____ deforestation.

A 영어는 우리말로, 우리말은 영어로 쓰시오.

1 shine	_____	7 얇은	_____
2 particle	_____	8 끈적거리는	_____
3 pottery	_____	9 점토, 찰흙	_____
4 metallic	_____	10 굽다	_____
5 strike	_____	11 수출	_____
6 prize	_____	12 재료	_____

B 우리말과 뜻이 같도록 주어진 단어를 사용하여 문장을 완성하시오.

1 햇빛이 유리를 통해 들어와 비추고 있다. (the sun, shine, through the glass)

_____

2 바닥은 특수한 유리로 만들어진다. (the floor, make, from, a special glass)

_____

3 그것은 세계적으로 매우 높이 평가되어 왔다. (has been, highly prized, around the world)

_____

C 〈보기〉의 단어를 사용하여 요약된 글을 완성하시오.

보기	baked	sticky	pottery	beauty

Porcelain is a special type of _____ that lets light shine through. It is _____ at a very high temperature and doesn't absorb any water. It has been traded around the world for their quality and _____.

A 영어는 우리말로, 우리말은 영어로 쓰시오.

1 stab	_____	7 전통적인	_____
2 chase	_____	8 날카로운	_____
3 dress up	_____	9 불꽃놀이	_____
4 horn	_____	10 참여하다	_____
5 crush	_____	11 복장, 의상	_____
6 release	_____	12 (주의를) 딴 데로 돌리다	_____

B 우리말과 뜻이 같도록 주어진 단어를 사용하여 문장을 완성하시오.

1 위험한 화학약품이 대기 중으로 배출되었다. (dangerous chemicals, release, into the air)

_____

2 황소들이 자신들의 날카로운 뿔로 사람들을 찌른다. (bulls, stab, with their sharp horns)

_____

3 1910년 이후로 축제 기간 동안 14명이 목숨을 잃었다.
 (since 1910, have been killed, during the festival)

_____

C 〈보기〉의 단어를 사용하여 요약된 글을 완성하시오.

보기	participated	festival	allowed	every

The Running of the Bulls is a famous _____ in Spain. The town of Pamplona has it _____ July 7th. Bulls are _____ to run through the streets and people run in front of them.

A 영어는 우리말로, 우리말은 영어로 쓰시오.

1 automobile _____

2 rapidly _____

3 heating _____

4 petroleum _____

5 hydrogen _____

6 run out of _____

7 관리하다 _____

8 태우다 _____

9 전 세계적으로 _____

10 재생 가능한 _____

11 태양의 _____

12 화석 연료 _____

B 우리말과 뜻이 같도록 주어진 단어를 사용하여 문장을 완성하시오.

1 목재는 난방을 위한 연료로 이용되었다. (wood, use, as the fuel, for heating)

_____

2 빠르게 성장하는 나라에서는 나무가 고갈되기 시작했다.
(rapidly growing, start to, run out of trees)

_____

3 그것은 지하로부터 채굴되어야 한다. (have to, mine, from underground)

_____

C 〈보기〉의 단어를 사용하여 요약된 글을 완성하시오.

보기	renewable	source	useful	supply

Alternative energy is any new _____ of power for people to use. It is
_____ when the usual source is inconvenient for a certain purpose. Coal and
petroleum used to be alternative energies but today _____ energies are the
alternatives.

A 영어는 우리말로, 우리말은 영어로 쓰시오.

1 disprove _____

2 astronomy _____

3 medieval _____

4 brilliant _____

5 calculation _____

6 furious _____

7 공헌, 기여 _____

8 바꾸다, 돌리다 _____

9 이의를 제기하다 _____

10 모순되다 _____

11 공전하다, 회전하다 _____

12 망원경 _____

B 우리말과 뜻이 같도록 주어진 단어를 사용하여 문장을 완성하시오.

1 이런 사람들은 다른 사람과 쉽게 어울리지 못한다. (These people, easily, fit in, others)

_____

2 그는 탁월한 수학자로 인정을 받았다. (recognize, as a brilliant mathematician)

_____

3 갈릴레오는 지구가 태양 주위를 돈다는 결론에 도달했다.
(Galileo, conclude, that, revolve around)

_____

C 〈보기〉의 단어를 사용하여 요약된 글을 완성하시오.

보기	furious	discovered	revolved	brilliant

Great scientists such as Galileo were not always great at school. But Galileo found that he was _____ at math and astronomy. He later _____ the moons of Jupiter and that Earth _____ around the Sun.

A 영어는 우리말로, 우리말은 영어로 쓰시오.

1 liquid _____

2 dairy _____

3 resemblance _____

4 sodium _____

5 nutritious _____

6 similarity _____

7 지방 _____

8 만족스러운 _____

9 짜내다 _____

10 처음의, 초기의 _____

11 손으로 _____

12 특징적인 _____

B 우리말과 뜻이 같도록 주어진 단어를 사용하여 문장을 완성하시오.

1 코코넛 우유는 코코넛의 과육으로 만들어진다. (coconut milk, the flesh, of the coconut)

_____

2 나는 차 또는 커피를 원한다. (want, either, tea, coffee)

_____

3 이 과정은 한두 번 더 반복될 수 있다. (process, can be repeated, more times)

_____

C 〈보기〉의 단어를 사용하여 요약된 글을 완성하시오.

보기	fat	flesh	liquid	different

Coconut milk is made from the _____ of the coconut. It is high in magnesium, low in sodium, and low in cholesterol but has saturated _____. Even though coconut milk and animal milk look very much the same, the tastes are completely _____.

A 영어는 우리말로, 우리말은 영어로 쓰시오.

1 impact _____

2 orbit _____

3 dust _____

4 acceptance _____

5 solar system _____

6 compared to _____

7 이론 _____

8 중력 _____

9 위성 _____

10 자연적인 _____

11 생기다, 발생하다 _____

12 이치에 맞다 _____

B 우리말과 뜻이 같도록 주어진 단어를 사용하여 문장을 완성하시오.

1 몇몇 동물은 그들의 몸에 비해 큰 눈을 갖고 있다. (some animals, compared to, their bodies)

_____

2 그것의 기원은 수백 년 동안 수수께끼가 되어 왔다.
(its origin, has been a puzzle, for hundreds of years)

_____

3 이 충돌로부터 암석과 먼지들이 달을 형성했다.
(the rocks and dust, this collision, form, the Moon)

_____

C 〈보기〉의 단어를 사용하여 요약된 글을 완성하시오.

보기	gravity	origin	natural	collision

The _____ of the Moon has been a mystery for hundreds of years. People used to think the Moon was captured by Earth's _____. Now scientists think it came from a _____ between Earth and another planet.

A 영어는 우리말로, 우리말은 영어로 쓰시오.

1 exotic _____

2 endangered _____

3 breed _____

4 appearance _____

5 habitat _____

6 steadily _____

7 야생 동물 _____

8 보존, 보호 _____

9 유익한 _____

10 멸종된 _____

11 단체, 조합 _____

12 집단, 인구 _____

B 우리말과 뜻이 같도록 주어진 단어를 사용하여 문장을 완성하시오.

1 동물원은 야생 동물을 볼 수 있는 멋진 장소이다. (zoos, wonderful places, see wildlife)

_____

2 현장 학습은 그저 재미를 위한 것이었다. (a school field trip, just for fun)

_____

3 너 오늘 약간 아픈 것처럼 보인다. (seem to, a little sick)

_____

C 〈보기〉의 단어를 사용하여 요약된 글을 완성하시오.

보기	exotic	spending	protect	educated

Zoos are nice places for _____ time with others. Now zoos have become more _____ places good for school trips. They also _____ wild animals and let scientists study them.

A 영어는 우리말로, 우리말은 영어로 쓰시오.

1 worship _____

2 permit _____

3 combination _____

4 monument _____

5 religious _____

6 upright _____

7 수송하다, 운송하다 _____

8 더하다, 추가하다 _____

9 기원, 발생 _____

10 불가사의한, 신비한 _____

11 구조물, 건물 _____

12 보내다, 수송하다 _____

B 우리말과 뜻이 같도록 주어진 단어를 사용하여 문장을 완성하시오.

1 고대 세계에 지어진 신비스러운 건축물이 많이 있다.
(there, mysterious structures, the ancient world)

_____

2 이 박스들은 해외에서 운송되었다. (These boxes, ship, from abroad)

_____

3 아무도 정확한 목적을 확실히 알지는 못한다. (nobody, for sure, the exact purpose)

_____

C 〈보기〉의 단어를 사용하여 요약된 글을 완성하시오.

보기	transported	religion	add	circle

Stonehenge is an ancient _____ of stones in England built thousands of years ago. It is a mystery how the heavy stones were _____ to their present location. Some think stonehenge was used for _____ or as a calendar.

A 영어는 우리말로, 우리말은 영어로 쓰시오.

1 purple   _____

2 overall   _____

3 native   _____

4 blood sugar _____

5 lower   _____

6 nutritious   _____

7 별명   _____

8 매끄러운   _____

9 섬유   _____

10 이끌다   _____

11 품종   _____

12 (색깔이) 연한 _____

B 우리말과 뜻이 같도록 주어진 단어를 사용하여 문장을 완성하시오.

1 그것은 울퉁불퉁하거나 매끄러울 수 있다. (it, can be, either, bumpy, smooth)

_____

2 이는 과일 하나치고는 많은 지방량이다. (this, a large amount of fat, for a fruit)

_____

3 이것은 모두에게 필요한 좋은 종류의 지방이다. (it, the good kind of fat, everyone needs)

_____

C 〈보기〉의 단어를 사용하여 요약된 글을 완성하시오.

보기	native	gain	healthy	creamy

The avocado is _____ to Mexico and South America. The skin can be green or purple and the flesh is light green and _____. It has a lot of _____ fat and lots of fiber.

A 영어는 우리말로, 우리말은 영어로 쓰시오.

1 source _____

2 nocturnal _____

3 infection _____

4 in the risk of _____

5 crawl _____

6 come across _____

7 포유동물 _____

8 숙주 _____

9 지역, 지대 _____

10 흡혈귀 _____

11 생물 _____

12 있음직하지 않은 _____

B 우리말과 뜻이 같도록 주어진 단어를 사용하여 문장을 완성하시오.

1 문제가 무엇인지 알고 있나요? (do you know, the problem is)

_____

2 그들의 통상적인 식량 공급원은 말이다. (their usual sources, food, horses)

_____

3 그 소녀는 혼자서 갈 수 있을 정도로 충분히 강했다. (the girl, strong, enough, go alone)

_____

C 〈보기〉의 단어를 사용하여 요약된 글을 완성하시오.

| 보기 | victims | blood | infection | mammal |

The vampire bat actually drinks the _____ of other animals like horses or cows. It usually comes out at night and doesn't harm its _____ much. But they could harm other animals through _____ and disease.

A 영어는 우리말로, 우리말은 영어로 쓰시오.

1 disappearance   _____

2 take off   _____

3 aviator   _____

4 wreckage   _____

5 fearless   _____

6 explorer   _____

7 주다, 수여하다   _____

8 현실, 실제   _____

9 선구자, 개척자   _____

10 구출, 구원   _____

11 착수하다, 시작하다   _____

12 추락하다   _____

B 우리말과 뜻이 같도록 주어진 단어를 사용하여 문장을 완성하시오.

1 그의 소망이 실현되었다. (wish, become a reality)

_____

2 미국 대통령이 그녀에게 금메달을 수여했다. (the U.S. president, present, a gold medal)

_____

3 그녀는 전 세계를 비행한 최초의 여성이 되고 싶었다.
(want, the first woman, fly around the world)

_____

C 〈보기〉의 단어를 사용하여 요약된 글을 완성하시오.

보기	lost	famous	fearless	cross

Amelia Earhart was one of the most _____ of the early female pilots in the 1920s. She was the first female pilot to _____ the Atlantic Ocean. However, she was _____ during her attempt to fly around the world.

A 영어는 우리말로, 우리말은 영어로 쓰시오.

1 moss _____

2 convert _____

3 moist _____

4 shady _____

5 erosion _____

6 adapt to _____

7 습기 _____

8 빽빽한, 꽉 찬 _____

9 선구자, 개척자 _____

10 선호되는, 우선의 _____

11 저장하다, 보관하다 _____

12 과소평가하다 _____

B 우리말과 뜻이 같도록 주어진 단어를 사용하여 문장을 완성하시오.

1 그들은 물 밖에서 사는 것에 적응했다. (they, adapt, live, outside of the waters)

_____

2 이곳은 작은 동물들이 살기에 좋은 장소다. (it, a good place, to live, for small animals)

_____

3 이 방법은 질병이 퍼지는 것을 예방할 것이다.
(method, help, prevent, diseases from spreading)

_____

C 〈보기〉의 단어를 사용하여 요약된 글을 완성하시오.

보기	tight	convert	erosion	evolved

Moss _____ from ocean algae and came to live on land half a billion years ago. They use photosynthesis to _____ sunlight into energy. They also provide homes for insects and worms as well as prevent _____ of the soil.

A 영어는 우리말로, 우리말은 영어로 쓰시오.

1 identify _____   7 특징 _____

2 reptile _____   8 친척, 동족 _____

3 scale _____   9 깃털 _____

4 slightly _____   10 발달시키다 _____

5 cold-blooded _____   11 압박하다 _____

6 at the same time _____   12 취약한 _____

B 우리말과 뜻이 같도록 주어진 단어를 사용하여 문장을 완성하시오.

1 타조는 사자보다 더 빨리 뛸 수 있다. (ostriches, run, faster, lions)

_____

2 이는 사냥할 때 특히 중요하다. (this, especially, when, hunting)

_____

3 깨어 있었는지 꿈을 꾸고 있었는지 분간할 수 없었다. (I, tell, if, I was awake, or, dreaming)

_____

C 〈보기〉의 단어를 사용하여 요약된 글을 완성하시오.

보기	feathers	reptiles	limbs	scale

Dinosaurs came from _____ but they developed some important differences.
They had _____ below their bodies and were warm-blooded. They also had
_____ instead of scales for identifying themselves.

A 영어는 우리말로, 우리말은 영어로 쓰시오.

1 deal _____   7 문학 _____

2 example _____   8 문자 _____

3 copy _____   9 발명 _____

4 vowel _____   10 기록하다 _____

5 clay _____   11 전문가 _____

6 based on _____   12 발전시키다 _____

B 우리말과 뜻이 같도록 주어진 단어를 사용하여 문장을 완성하시오.

1 농업의 발명은 인간 사회를 진보시켰다.
(the invention, agriculture, has advanced, human society)

_____

2 그들은 알파벳이 매우 유용함을 알게 되었다. (they, find, the alphabet, useful)

_____

3 그 영화는 유명한 신화를 기반으로 만들어졌다. (the movie, make, based on, the famous myth)

_____

C 〈보기〉의 단어를 사용하여 요약된 글을 완성하시오.

| 보기 | advanced | easier | earliest | recorded |

The _____ writing systems were the cuneiform of Mesopotamia and the
hieroglyphics of Egypt. They _____ business deals, literature, and government
records but were difficult to use. The Phoenician alphabet was much _____
and was copied by Greece and Rome.

A 영어는 우리말로, 우리말은 영어로 쓰시오.

1 critical   _____

2 instruction   _____

3 trigger   _____

4 harsh   _____

5 brutal   _____

6 readily   _____

7 인류   _____

8 필수적인   _____

9 흐름, 유입   _____

10 도주, 도피   _____

11 특권   _____

12 자극, 흥분   _____

B 우리말과 뜻이 같도록 주어진 단어를 사용하여 문장을 완성하시오.

1 접촉은 가장 순수한 형태의 의사소통이다. (touch, the purest form, communication)

_____

2 핸드폰은 종종 전혀 필요하지 않은 경우가 있다. (cell phones, not necessary, at all)

_____

3 그것은 스트레스 호르몬의 방출을 감소시킨다. (reduce, the release, stress hormones)

_____

C 〈보기〉의 단어를 사용하여 요약된 글을 완성하시오.

보기	harsh	essential	create	stress

Touch is both a form of communication and an _____ part of health. It is therapeutic and reduces _____ while increasing endorphins. But some forms of touch can _____ stress, fear, or trauma.

A 영어는 우리말로, 우리말은 영어로 쓰시오.

1 puddle _____

2 reproduce _____

3 balance _____

4 ecosystem _____

5 interact _____

6 availability _____

7 기후 _____

8 열대 우림 _____

9 특별한, 특정한 _____

10 인구 _____

11 환경 _____

12 진화하다 _____

B 우리말과 뜻이 같도록 주어진 단어를 사용하여 문장을 완성하시오.

1 그것은 물웅덩이만큼 작을 수도 있다. (can be, small, a puddle)

_____

2 벌의 역할은 꽃가루를 퍼뜨리는 것이다. (the role, bees, to spread pollen)

_____

3 그 지역은 목초지에서 사막으로 바뀌었다. (the area, change, from grassland, to a desert)

_____

C 〈보기〉의 단어를 사용하여 요약된 글을 완성하시오.

| 보기 | interact | balance | climate | environment |

An ecosystem is the _____ where plants and animals live. Each part of an ecosystem plays a part in keeping it in _____. Non-living things such as _____, soil, and water are also a part of an ecosystem.

A 영어는 우리말로, 우리말은 영어로 쓰시오.

1 basis _____

2 aspect _____

3 frustration _____

4 maintain _____

5 digestive _____

6 above all _____

7 정신의 _____

8 압력 _____

9 요구 사항 _____

10 관리하다, 다루다 _____

11 발산하다 _____

12 핵심, 비결 _____

B 우리말과 뜻이 같도록 주어진 단어를 사용하여 문장을 완성하시오.

1 우리는 다른 사람들과 좋은 관계를 유지할 수 있다. (maintain, good relationships, others)

_____

2 이런 모든 능력들은 잘 살기 위해 필요하다. (all of these skills, necessary, living well)

_____

3 정신 건강에 있어 하나의 중요한 측면은 스트레스를 관리하는 것이다.
(one important aspect, mental health, managing stress)

_____

C 〈보기〉의 단어를 사용하여 요약된 글을 완성하시오.

보기	immunity	excercise	basis	maintain

Mental health allows us to manage our emotions and _____ good relationships. It can manage stress which can damage our _____ and cause sleep problems. We must rest enough but also eat well and _____ to have good mental health.

A 영어는 우리말로, 우리말은 영어로 쓰시오.

1 aid _____   7 정복하다 _____

2 birthplace _____   8 동기 _____

3 threaten _____   9 방어하다 _____

4 emperor _____   10 원래, 본래 _____

5 request _____   11 탈환하다 _____

6 in the hands of _____   12 동료의 _____

B 우리말과 뜻이 같도록 주어진 단어를 사용하여 문장을 완성하시오.

1 그녀는 습관을 바꿔보려는 강력한 동기가 있었다. (a strong motivation, to change, her habits)

_____

2 그는 서유럽으로부터 지원을 요청했다. (request, aid, Western Europe)

_____

3 결과는 위원회에게 맡겨져 있다. (the result, in the hands of, the committee)

_____

C 〈보기〉의 단어를 사용하여 요약된 글을 완성하시오.

보기	unsuccessful	fought	retake	military

The Crusades were wars _____ by Christian soldiers against Islamic states. There was a series of them starting from 1095. One goal was to _____ Jerusalem but they were largely _____.

A 영어는 우리말로, 우리말은 영어로 쓰시오.

1 homage   _____

2 festivity   _____

3 contest   _____

4 pep up   _____

5 just for fun   _____

6 go on a vacation   _____

7 굉장한, 놀랄만한   _____

8 관리, 공무원   _____

9 ~의 무게를 달다   _____

10 활기 없는   _____

11 출전자, 경쟁자   _____

12 화려한   _____

B 우리말과 뜻이 같도록 주어진 단어를 사용하여 문장을 완성하시오.

1 우리는 여러 가지 놀라운 것들을 보기 위해서 여행을 한다. (travel, many amazing things)

_____

2 그 대회를 지켜보는 사람들은 몹시 흥분했다. (get so excited, watch the contest)

_____

3 그 축제는 더욱 많은 관광객을 끌어들이기 위해 시작되었다. (start, as a way to attract)

_____

C 〈보기〉의 단어를 사용하여 요약된 글을 완성하시오.

보기	attract	contestants	official	weighing

The West Coast of America has a World Championship Pumpkin Weigh-Off. Hundreds of _____ bring pumpkins _____ over 1,000 pounds. The idea of the contest began in Half Moon Bay as a way to _____ tourists.

A 영어는 우리말로, 우리말은 영어로 쓰시오.

1 profession _____

2 fascination _____

3 earn a living _____

4 coral reef _____

5 certified _____

6 underwater _____

7 열대의 _____

8 퇴직하다, 은퇴하다 _____

9 교사, 가르치는 사람 _____

10 이끌다, 인도하다 _____

11 후회, 유감 _____

12 산소 _____

B 우리말과 뜻이 같도록 주어진 단어를 사용하여 문장을 완성하시오.

1 문제는 내가 영어를 할 수 없다는 것이다. (the problem, that, I can't speak)

_____

2 그는 강사가 되기 위해 두 달 동안 교육을 받았다.
(trained, for two months, become a instructor)

_____

3 마치 천국에 있는 것 같다. (it, like, in heaven)

_____

C 〈보기〉의 단어를 사용하여 요약된 글을 완성하시오.

| 보기 | retired | instructor | tropical | living |

Steve works not in an office but in the ocean. He earns a _____ as a scuba diving _____ where he feels free. He used to work as a police officer but _____ and moved from England to Indonesia.

A 영어는 우리말로, 우리말은 영어로 쓰시오.

1 main _____

2 populate _____

3 parliament _____

4 kindergarten _____

5 trade _____

6 debate with _____

7 이민, 이주 _____

8 매체 _____

9 아주 작은 _____

10 공식적인 _____

11 독일어 _____

12 초등학교 _____

B 우리말과 뜻이 같도록 주어진 단어를 사용하여 문장을 완성하시오.

1 내 목표는 언제나 단순했다. (goals, have, always, simple)

_____

2 학생들은 여섯 살부터 영어를 공부한다. (students, study English, age six)

_____

3 미디어는 독일어나 프랑스어를 쓴다. (the media, use, either, German, French)

_____

C 〈보기〉의 단어를 사용하여 요약된 글을 완성하시오.

보기	tiny	main	official	between

Luxembourg is a small country _____ France and Germany. It uses the three _____ languages of Luxembourgish, French, and German. French and German are the _____ languages for school, government, and media.

A 영어는 우리말로, 우리말은 영어로 쓰시오.

1 royalty _____

2 afford _____

3 gain _____

4 lower _____

5 consume _____

6 taste _____

7 제안하다, 권하다 _____

8 1년마다 _____

9 쓴 _____

10 평균하여, 대략 _____

11 예방하다, 방지하다 _____

12 혈압 _____

B 우리말과 뜻이 같도록 주어진 단어를 사용하여 문장을 완성하시오.

1 초콜릿은 카카오 콩으로 만들어진다. (come from, the cacao bean)

_____

2 진짜 초콜릿은 커피처럼 쓴맛이 난다. (real, tastes bitter, like coffee)

_____

3 지나치게 많이 먹으면 체중이 늘어날 수 있다. (eat, too much, make, gain weight)

_____

C 〈보기〉의 단어를 사용하여 요약된 글을 완성하시오.

보기	chemical	popular	benefits	drinks

The Aztecs of South America made _____ from the cacao bean three thousand years ago. It became _____ in Europe as chocolate three hundred years ago. Chocolate has some health _____ but also a lot of sugar.

A 영어는 우리말로, 우리말은 영어로 쓰시오.

1 Arctic _____

2 settlement _____

3 steadily _____

4 trait _____

5 wildlife _____

6 consist of _____

7 두꺼운, 굵은 _____

8 일어나다, 발생하다 _____

9 반대편에 _____

10 바다의 _____

11 ~에 영향을 미치다 _____

12 천연 자원 _____

B 우리말과 뜻이 같도록 주어진 단어를 사용하여 문장을 완성하시오.

1 이 책은 모두 여섯 장으로 구성되어 있다. (consist of, six chapters)

_____

2 일련의 이상한 변화가 일어났다. (a series of, unusual, have occurred)

_____

3 해빙이 꾸준히 감소하고 있다. (sea ice, steadily decreasing)

_____

C 〈보기〉의 단어를 사용하여 요약된 글을 완성하시오.

보기	region	cold	warming	wildlife

The Arctic is the _____ around the North Pole which includes parts of Canada, Greenland, Russia, and Alaska. Much of it is ice-covered sea and temperatures are very _____. It has been _____ up in the past several decades which affects its ecosystems and wildlife.

A 영어는 우리말로, 우리말은 영어로 쓰시오.

1 infestation _____   7 점검하다 _____

2 tear down _____   8 의심을 품다 _____

3 stack _____   9 벌금을 부과하다 _____

4 menace _____   10 주(州) _____

5 when it comes to _____   11 아래에 _____

6 patrol _____   12 이웃의, 근처의 _____

B 우리말과 뜻이 같도록 주어진 단어를 사용하여 문장을 완성하시오.

1 나는 앞으로의 계획 같은 건 전혀 없다. (have, plans, at all, for the future)

_____

2 그녀는 그들에게 많은 식량을 공급할 수 있다. (supply, with, a lot of food)

_____

3 건물 안에서 담배를 피우다가 적발되면 누구라도 벌금이 부과될 것이다.
(anyone found, smoking in the building, will, fine)

_____

C 〈보기〉의 단어를 사용하여 요약된 글을 완성하시오.

보기	established	poison	inspect	places

The Canadian province of Alberta is one of the few _____ with no rats. Its government _____ a Rat Patrol to keep out rats. It supplies farmers with rat _____, tears down buildings with rats, and finds anyone with a pet rat.

A 영어는 우리말로, 우리말은 영어로 쓰시오.

1 Christianity _____

2 wrongly _____

3 split _____

4 policy _____

5 priest _____

6 in exchange for _____

7 죄 _____

8 이자 _____

9 용서 _____

10 대출 _____

11 격려하다 _____

12 교육을 받은 _____

B 우리말과 뜻이 같도록 주어진 단어를 사용하여 문장을 완성하시오.

1 대부분의 사람들은 읽거나 쓰지 못했다. (most, could not, read, write)

_____

2 그녀는 최종 판결에 동의하지 않았다. (disagree, the final decision)

_____

3 우리 집 근처에 있는 서점은 매우 크다. (the bookstore, locate, near my house, big)

_____

C 〈보기〉의 단어를 사용하여 요약된 글을 완성하시오.

보기	own	sin	split	disagreed

The Reformation was a _____ in the Catholic Church which created Protestantism. It was led by Martin Luther who _____ with the Church's Policies. He wanted people to read the Bible for themselves in their _____ language.

A 영어는 우리말로, 우리말은 영어로 쓰시오.

1 adapt to _____

2 instantly _____

3 downstream _____

4 bacteria _____

5 tremendously _____

6 sea level _____

7 함유량, 산출량 _____

8 흐르다 _____

9 (물 위에) 뜨다 _____

10 소금기 있는, 짠 _____

11 매우, 몹시 _____

12 놀랍게도 _____

B 우리말과 뜻이 같도록 주어진 단어를 사용하여 문장을 완성하시오.

1 날씨가 너무 좋아서 우리는 소풍을 갔다. (such, a beautiful day, that, go on a picnic)

_____

2 그녀는 가난할 뿐만 아니라 게으르다. (not only, poor, but also, lazy)

_____

3 많은 사람들은 주말마다 유명한 쇼를 보기 위해 온다.
(come to, the famous show, on weekends)

_____

C 〈보기〉의 단어를 사용하여 요약된 글을 완성하시오.

보기	salty	flow	float	lies

The Dead Sea is _____ that only bacteria can live in it. It _____

between Israel and Jordan and is 420 meters below sea level. It attracts tourists who

like to _____ easily on the sea.

A 영어는 우리말로, 우리말은 영어로 쓰시오.

1 ritual _____

2 wayward _____

3 precipitous _____

4 occasionally _____

5 sprain _____

6 concussion _____

7 모이다 _____

8 가파른 _____

9 수직인, 직각인 _____

10 관중, 구경꾼 _____

11 경사, 기울기 _____

12 부상 _____

B 우리말과 뜻이 같도록 주어진 단어를 사용하여 문장을 완성하시오.

1 이 법을 어긴 자는 누구든지 처벌을 받을 것이다. (whoever, break this law, will, punish)

_____

2 그가 회사를 왜 그만두었는지는 확실하지 않다. (it, clear, why, he left the company)

_____

3 심지어 구경꾼들도 조심해야 한다. (even, the spectators, need, careful)

_____

C 〈보기〉의 단어를 사용하여 요약된 글을 완성하시오.

보기	sprain	compete	sustain	fast

Cooper's Hill in Gloucester, England is the site of a cheese race. Men, women, and Children _____ to control a large cheese roll and finish first. The cheese can roll very _____ and some participants _____ injuries.

A 영어는 우리말로, 우리말은 영어로 쓰시오.

1 spice up _____

2 measure _____

3 beat out _____

4 at a time _____

5 discovery _____

6 flavor _____

7 평점, 등급 _____

8 지방의 _____

9 등급, 저울 _____

10 제어하다, 통제하다 _____

11 얼얼하게 하다 _____

12 고추 _____

B 우리말과 뜻이 같도록 주어진 단어를 사용하여 문장을 완성하시오.

1 그것들은 여러분의 눈에 눈물이 핑 돌게 만든다. (make, water)

_____

2 세계에서 가장 높은 산은 에베레스트 산이다.
(the highest mountain, in the world, Mt. Everest)

_____

3 그녀는 너무 바빠서 식사를 제시간에 할 수 없다. (too busy, to eat, meals, on time)

_____

C 〈보기〉의 단어를 사용하여 요약된 글을 완성하시오.

보기	hottest	measured	burn	added

Chili peppers can _____ your mouth and police even use them as a spray. The heat of a food can be _____ on a Scoville scale. The Naga Jolokia pepper from India is the _____ in the world at 1,000,000 on the scale.

THIS IS READING

전면
개정판

중등부터 고등까지 모든 독해의 확실한 해결책 !

★ 실생활부터 전문적인 학술 분야까지 **다양한 소재의 지문 수록**

★ 서술형 내신 대비까지 제대로 준비하는 **문법 포인트 정리**

★ 지문 이해 확인 또 확인, **본문 연습 문제 + Review Test**

★ 정확하고도 빠른 지문 읽기 **직독직해 연습**

★ 원어민의 발음으로 듣는 전체 **지문 MP3** (QR 코드 & www.nexusbook.com)

★ 확실한 마무리 3단 콤보 **WORKBOOK**

🎧 MP3 바로가기

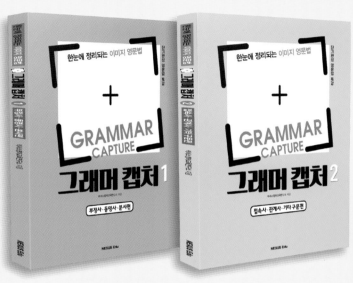

이것이 THIS IS 시리즈다!

THIS IS GRAMMAR 시리즈

▷ 중·고등 내신에 꼭 등장하는 어법 포인트 분석 및 총정리

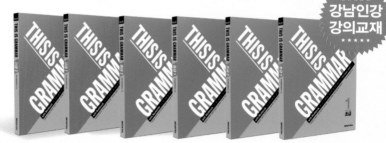

강남인강 강의교재

THIS IS READING 시리즈

▷ 다양한 소재의 지문으로 내신 및 수능 완벽 대비

강남인강 강의교재

THIS IS VOCABULARY 시리즈

▷ 주제별로 분류한 교육부 권장 어휘

THIS IS 시리즈

무료 MP3 및 부가자료 다운로드
www.nexusbook.com
www.nexusEDU.kr

THIS IS GRAMMAR 시리즈
Starter 1~3   영어교육연구소 지음 | 205×265 | 144쪽 | 각 권 12,000원
초·중·고급 1·2   넥서스영어교육연구소 지음 | 205×265 | 250쪽 내외 | 각 권 12,000원

THIS IS READING 시리즈
Starter 1~3   김태연 지음 | 205×265 | 156쪽 | 각 권 12,000원
1·2·3·4   넥서스영어교육연구소 지음 | 205×265 | 192쪽 내외 | 각 권 10,000원~13,000원

THIS IS VOCABULARY 시리즈
입문   넥서스영어교육연구소 지음 | 152×225 | 224쪽 | 10,000원
초·중·고급·어원편   권기하 지음 | 152×225 | 180×257 | 344쪽~444쪽 | 10,000원~12,000원
수능 완성   넥서스영어교육연구소 지음 | 152×225 | 280쪽 | 12,000원
뉴텝스   넥서스 TEPS연구소 지음 | 152×225 | 452쪽 | 13,800원

LEVEL CHART

초1	초2	초3	초4	초5	초6	중1	중2	중3	고1	고2	고3

VOCA

초등필수 영단어
1-2 · 3-4 · 5-6학년용

The VOCA + (플러스) 1~7

THIS IS VOCABULARY
입문 · 초급 · 중급

고급 · 어원 · 수능 완성 · 뉴텝스

WORD FOCUS
중등 종합 5000 · 고등 필수 5000 · 고등 종합 9500

Grammar

초등필수 영문법 + 쓰기
1~2

OK Grammar 1~4

This Is Grammar Starter
1~3

This Is Grammar
초급~고급 (각 2권: 총 6권)

Grammar 공감 1~3

Grammar 101 1~3

Grammar Bridge 1~3 (NEW EDITION)

The Grammar Starter, 1~3

한 권으로 끝내는 필수 구문 1000제

구사일생
(구문독해 Basic) 1~2

구문독해 204 1~2 (개정판)

고난도 구문독해 500

그래머 캡처 1~2

[특급 단기 특강]
어법어휘 모의고사

MP3 바로가기

전면 개정판

THIS
IS

독해의
확실한 해결책

READING

With Workbook
어휘 테스트
통문장 영작
본문 요약 완성

넥서스영어교육연구소 지음

정답 및 해설

3

NEXUS Edu

THIS IS READING

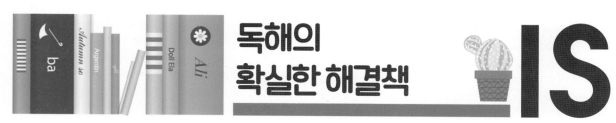

독해의
확실한 해결책

READING

3

정답 및 해설

NEXUS Edu

Unit 01

02 | Valleys Made by Glaciers   p. 12

| 본문 해석 |

많은 나라에서 2월 14일에 성 밸런타인데이를 기념한다. 이날은 사랑하는 사람과 선물과 카드를 주고받는 특별한 날이다. 초콜릿, 꽃, 와인은 매우 인기 있는 밸런타인데이 선물이다. 날개가 달린 아기 궁수인 큐피드는 성 밸런타인데이의 마스코트이다. 사람들은 큐피드가 마법 화살을 사용해서 젊은 커플을 즉시 사랑에 빠지게 만든다고 믿고 있다.

밸런타인데이의 역사는 분명하지 않다. 하지만, 많은 사람들은 이날이 로마 시대에 시작됐다고 믿는다. 이 축제일의 이름은, 밸런타인이라 불렸던 초기 기독교의 순교자 두 명 중 한 명의 이름에서 따왔다. 사람들은 이 축제일의 이름을 어느 밸런타인에게서 따온 것인지 아직까지도 정확하게 알지 못한다.

처음에 밸런타인 카드는 단순한 종이 한 장에 적은 사랑의 메모였다. 축제일은 수세기가 지나면서 점차 변했고, 18세기에 이르러 영국에서는 밸런타인데이에 손으로 직접 만든 카드를 교환하는 일이 흔해졌다. 하지만, 미국에서 밸런타인 카드의 전통은 1850년이 되어서야 널리 퍼지게 되었다. 물론 오늘날 밸런타인데이는 미국에서 가장 큰 축제일 중 하나이고, 전 세계에서 기념되고 있다. 미국 기념 카드 협회에 따르면, 매년 전 세계적으로 약 10억 장의 밸런타인 카드가 발송되고 있다고 한다.

| 문제 해설 |

1   밸런타인데이를 설명하고 밸런타인 카드가 생겨난 기원에 대한 글이므로 ④가 적절하다.

2   밸런타인데이의 이름은 초기 기독교의 순교자 이름에서 따왔다고 했으며 밸런타인데이에 카드를 교환하는 것은 먼저 영국에서 시작되었다.

3   영국에서 흔해졌다는 뜻이므로 빈번하게 일어나는 일임을 알 수 있다. 따라서 frequent(빈번한)와 뜻이 비슷하므로 ④가 정답이다.
    ① 드문 ② 같은 ③ 다양한 ⑤ 다른

4   밸런타인데이의 기원이 분명하지 않다고 했으므로 ④가 적절하다.

| 직독 직해 |

• 이날은 특별한 날이다 / 사람들이 선물과 카드를 주고받는 / 사랑하는 사람과

• 사람들은 / 아직까지 / 알지 못한다 / 정확하게 / 어느 밸런타인에게서 / 이 축제일의 이름을 따온 것인지

• 약 10억 장의 밸런타인 카드가 / 발송되고 있다 / 매년 / 전 세계적으로

| 본문 해석 |

당신은 엽서에서 피오르를 본 적이 있을 것이다. 피오르는 해안을 따라 있는 바닷물로 이뤄진 길고 깊은 강이다. 피오르는 노르웨이와 칠레, 뉴질랜드, 캐나다, 그리고 알래스카에서 볼 수 있다. 피오르는 마지막 빙하 시대에 빙하가 형성될 때 만들어졌다. 빙하는 산에서부터 흘러내리는 결빙된 얼음 강이다. 그것들은 매우 무거워 가는 곳마다 깊은 U자형 계곡을 깎아 만든다. 피오르의 경우, 이런 빙하들이 바다에 이르렀다. 빙하 시대가 끝나고 지구가 따뜻해졌을 때, 오늘날의 피오르에 빙하가 녹았고 바닷물이 골짜기를 채웠다.

피오르는 길이가 160킬로미터에 이르고 깊이는 1킬로미터 이상일 수도 있다. 많은 피오르는 그 끝보다 가운데가 더 깊다. 그래서 피오르의 바닥은 그릇 모양처럼 될 수 있다. 이런 그릇 모양의 가운데에 바닷물은 흐르지 않고 정지해 있게 된다. 따라서 그곳에서 검은 진흙이 많이 발견될 수 있다.

두 개의 노르웨이 피오르가 유네스코 세계문화유산으로 선정되었다. 그중 하나인 내로이 피오르에는 물 위로 1킬로미터가 되는 산과 18개의 폭포, 그리고 작은 마을이 있다. 다른 문화유산은 세븐 시스터즈 폭포로 유명한 게이랑어 피오르가 있다. 사람들은 그 일곱 개 폭포들이 여자의 긴 머리처럼 보여 그렇게 부른다.

| 문제 해설 |

1   피오르의 어원에 대해서는 언급되어 있지 않으므로 ②가 정답이다.

2   피오르는 빙하들이 바다에 이르고 따뜻해진 후 골짜기에 바닷물이 차서 생성된 것이므로 높은 산에서 내려오는 강물이 흐른다는 ④는 일치하지 않는 내용이다.

3   and 앞에 doesn't flow가 있으므로 이와 의미가 통하는 어휘가 와야 한다. 흐르지 않는다는 것은 정지해 있다는 것을 의미하므로 '정지한'이라는 뜻의 ① still이 적절하다.
    ② 빠른 ③ 바쁜 ④ 야생의 ⑤ 위험한

4   몇몇 피오르의 바닥이 그릇 모양인 이유는 무엇인가?
    두 번째 문단에서 피오르가 끝보다 가운데가 깊어서 그릇 모양이라고 했다.

| 직독 직해 |

• 피오르는 / 만들어졌다 / 빙하가 형성될 때 / 마지막 빙하 시대에

• 빙하는 / 결빙된 얼음 강이다 / 흘러내리는 / 산에서부터

• 많은 피오르는 / 가운데가 더 깊다 / 그 끝보다

| 본문 해석 |

비타민은 몸과 음식에 들어 있는 건강에 필수적인 영양소다. 인체는 제대로 기능하기 위해 비타민에 의존한다. 예를 들어, 우리 몸이 칼슘을 흡수하기 위해 비타민 D가 필요하다. 칼슘이 없으면, 우리의 뼈는 튼튼하게 자라지 않고 우리의 면역 체계는 제대로 작동하지 않을 것이다. 몸은 햇빛을 이용해 비타민 D를 생성하므로 우리는 밖으로 나갈 필요가 있다. 그것은 또한 해산물과 달걀에서도 발견된다.

비타민 D는 우리가 필요로 하는 많은 비타민들 중 하나일 뿐이다. 예를 들어, 비타민 B2는 조기 노화 예방에 도움이 된다. 그것은 몸 전체에 산소를 옮기는 데 있어 중요한 적혈구를 생성하는 데 이용된다. 비타민 B2는 또한 심장병으로부터 보호해 준다. 비타민 B2가 많이 들어 있는 식품들은 아몬드와 우유, 그리고 시금치다.

비타민 B1에 의해 보여지듯, 비타민을 충분히 섭취하지 않으면 나쁜 영향이 있을 수 있다. 19세기에 식품 제조업체들이 백미를 만들기 시작했다. 그것은 바깥층의 오일이 제거되었기 때문에 유통 기한이 더 길었다. (C) 하지만 그것을 많이 먹은 사람들에게 마비 증상이 나타났다. (B) 그 원인은 인도네시아에서 일하는 의사, 크리스티안 에이크만에 의해 발견되었다. (A) 그는 현미를 먹는 것이 병을 치유해 환자들을 다시 걸을 수 있게 한다는 것을 알아냈다. 그 비결은 나중에 비타민 B1이 들어 있는 바깥층인 것으로 드러났다. 보다시피, 비타민은 우리 건강에 중요하다.

| 문제 해설 |

1 상처 치료에 대해서는 언급되지 않았다. 따라서 ④가 정답이다.

2 여기서 key는 '비결, 실마리'라는 뜻이므로 secret(비결)과 의미가 유사하다. 따라서 ②가 정답이다.
① 전화 ③ 물건 ④ 상징 ⑤ 목적

3 오일을 제거한 백미를 먹은 사람들이 마비 증세가 생기기 시작했고 이를 발견한 사람에 대한 내용이 다음에 나오는 것이 적절하다. (A)의 He는 Christiaan Eijkman을 나타내는 것이므로 (B) 다음에 와야 한다. 따라서 ④가 정답이다.

4 두 번째 문단에서 비타민 B1을 제대로 섭취하지 못한 사람들에게서 마비 증상이 나타났다고 했다. 따라서 ⑤가 정답이다.

| 직독 직해 |

• 인체는 / 비타민에 의존한다 / 제대로 기능하기 위해

• 비타민 D는 / 많은 비타민들 중 하나일 뿐이다 / 우리가 필요로 하는

• 사람들은 / 그것을 많이 먹은 / 마비 증상이 나타났다

| 본문 해석 |

동물은 인간처럼 말할 수 없다. 그래서 동물은 꿀꿀거리고, 으르렁거리며, 몸짓, 심지어는 생각을 통해 대화해야 한다. 생각을 통해서? 이것은 무엇일까? 아마도 인간인 우리는 생각을 통해 대화한다는 것이 전적으로 불가능하다고 여길 것이다. 우리는 대화하기 위해서 단어와 문장, 또는 말을 구성하는 소리에 의존한다. 우리는 생각을 통해 대화를 하지 않는다.

그러나 생각을 통해 동물과 대화하는 능력이 있다고 여겨지는 일부 동물 조련사들이 있다. 이런 일부 조련사를 소개하는 텔레비전 프로그램과 책, 영화도 있다. 이처럼 재능 있는 조련사들은 자신들의 생각을 통해 동물들에게 어떻게든 질문한다. 그러면 동물들은 대답한다. 조련사들은 다양한 형태의 시각적 이미지를 통해 대답을 듣는다.

개가 어디가 아픈지 알고 싶으면 동물 조련사는 이런 형태의 정신적 대화를 통해 개에게 묻는다. 조련사는 개의 통증 부위를 알려 주는 자신의 신체 부위에서 통증을 느끼거나 통증을 느끼는 부위의 형상을 보는 경우도 있다. 조련사는 때때로 동물이 어떻게 다쳤는지 알 수 있는 형상을 받는다고 말한다. 믿기 어려울지 모르지만, 점점 더 많은 사람들이 동물의 아픔과 고통뿐만 아니라 동물이 좋아하는 것과 싫어하는 것을 알기 위해 이런 사람들(조련사)을 고용하고 있다. 여러분은 애완동물과 이야기하고 싶은가? 생각을 통해 그들과 대화해 보면 어떨까?

| 문제 해설 |

1 인간과 달리 말을 할 수 없는 동물들의 의사소통 방식에 대한 내용이므로 ②가 적절하다.

2 빈칸 앞에는 동물이 인간처럼 말할 수 없다고 했으며 이어서 말하는 대신 다른 의사소통 수단을 설명하고 있다. 따라서 말을 할 수 없어서 다른 방식으로 의사소통을 한다는 뜻이 되어야 한다. 따라서 ③ Therefore(그래서)가 적절하다.
① 비록 ~일지라도 ② 그러나 ④ 그럼에도 불구하고 ⑤ 결국

3 조련사들은 동물들이 말하는 것을 가르치는 것이 아니라 생각을 통해서 대화를 시도하려고 노력한다. 따라서 ④가 정답이다.

4 동물 조련사들은 생각을 통해 동물과 대화가 가능하다고 했으므로 훈련을 통해 애완동물과 의사소통이 가능함을 알 수 있다. 따라서 ③이 정답이다.

| 직독 직해 |

• 우리는 / 아마 / 여길 것이다 / 대화하는 것이 / 생각을 통해 / 전적으로 불가능하다고

• 우리는 / 의존한다 / 소리에 / 단어와 문장, 또는 말을 구성하는 / 대화하기 위해서

• ~하는 게 어떨까 / 대화를 해 보는 것은 / 그들과 / 생각을 통해

Review Test (01 ~ 04) p. 18

1 ⑤ 2 ③

3 physician 4 melt 5 function

6 ④ 7 He → It

8 be boring → (to be) boring

9 The tradition of Valentine's cards did not become widespread until the 1850s.

10 Not getting enough of a vitamin can have ill effects.

| 문제 해설 |

1 instantly는 '즉시'라는 의미로 ⑤ immediately(즉시)가 가장 적절하다.
  [나는 그 사진을 본 순간 그를 즉시 알아보았다.]
  ① 개별적으로 ② 공통적으로 ③ 느리게 ④ 다양하게

2 essential은 '필수적인'이라는 의미로 ③ necessary(필요한)가 가장 적절하다.
  [좋은 좌석을 얻고 싶으면 예약은 필수다.]
  ① 중요하지 않은 ② 빈번한 ④ 평상시의 ⑤ 쓸모없는

[3~5]

| **보기** | 녹다 작동하다 나타내다 의사 빙하 |

3 우리 아버지는 수학자고 어머니는 <u>의사</u>이다.

4 눈이 빨리 <u>녹기</u> 시작했다.

5 컴퓨터 네트워크는 잘 <u>작동하지</u> 않았다.

6 ④를 제외한 나머지는 to부정사의 의미상의 주어에 해당한다.
  ① 내가 너를 만난 건 행운이었다.
  ② 그 책은 내가 읽기에 너무 쉬웠다.
  ③ 그녀가 제시간에 그 일을 끝낸다는 것은 불가능하다.
  ④ 저에게 해 주신 모든 일에 대해 감사드립니다.
  ⑤ 이 퍼즐은 내가 풀기에 어렵다.

7 He는 that 이하를 가리키는 가주어 역할을 해야 하므로 It으로 고쳐야 한다.
  [사람들은 그가 노르웨이 출신이라고 믿고 있다.]

8 find의 목적보어로 to부정사나 형용사가 올 수 있지만 동사원형은 올 수 없다.
  [나는 그 소설이 지루하다고 생각한다.]

Unit 02

05 | The Dry Desert p. 20

1 ③ 2 ⑤ 3 ④

4 화성 탐사를 위한 기구 시험과 천체 관측을 하기에 좋다.

| 본문 해석 |

지구상에서 가장 건조한 곳은 어디일까? 과학자들에 따르면 지구상에서 가장 건조한 곳은 칠레 북부에 있는 아타카마 사막이다. 아타카마 사막은 캘리포니아 주의 데스밸리보다 50배 더 건조하다. 그곳은 건조하기는 하지만, 그다지 덥지는 않다. 실제로 그곳의 평균 기온은 약 15℃이다. 평균 강수량은 연간 1mm에 불과하다. 하지만, 일부 기상청들은 비가 내렸다는 보도를 한 적이 없다. 믿기 어렵겠지만 1570년과 1971년 사이에 아타카마 사막에 비가 전혀 내리지 않았다는 증거가 있다.
아타카마 사막은 그곳의 건조한 상태로 인해 유명해졌다. 과학자들은 토질의 상태를 비롯한 아타카마 사막의 상태를 화성과 비교해 왔다. 2003년에 한 연구팀이 사막에서 생명체를 찾아보았지만 사막의 토양에는 어떤 생명체의 흔적도 <u>발견할 수 없었</u>다고 보고했다. 그런 면에서 이 지역은 지구상에서 독특하다고 볼 수 있다. 그러나 이것은 아타카마 사막이 무용지물이라는 것을 의미하지는 않는다. 아타카마 사막은 미래의 화성 탐사 임무를 위한 기구들을 시험할 목적으로 나사에 의해 사용되고 있다. 아타카마 사막은 고도가 높고, 구름이 거의 없고, 공기가 건조하고, 오염이 되지 않아서 천체 관측을 하기에 세계에서 가장 좋은 장소 중 하나이다.

| 문제 해설 |

1 아타카마 사막의 토양에는 어떤 생명체의 흔적도 발견할 수 없었다고 했으므로 ③이 정답이다.

2 '발견할 수 없었다'는 뜻이므로 discover(발견하다)의 뜻과 비슷하다. 따라서 ⑤가 적절하다.
  ① 멈추다 ② 공부하다 ③ 여행하다 ④ 취소하다

3 과학자들이 토질의 상태를 화성과 비교했고, 화성 탐사 임무를 위한 실험들을 이 장소에서 한다고 했으므로 화성과 아타카마 사막의 환경이 비슷할 수도 있음을 유추할 수 있다. 따라서 ④가 정답이다.

4 아타카마 사막의 여러 악조건들에 대해 설명한 후 마지막에 나사가 화성 탐사를 위한 기구 시험과 천체를 관측하기에 좋다고 했다.

| 직독 직해 |

• 가장 건조한 곳 / 지구상에서 / 아타카마 사막이다 / 칠레 북부에 있는

• 아타카마 사막은 / 얻었다 / 명성을 / 그곳의 건조한 상태로 인해

• 이것이 / 의미하지는 않는다 / 사막이 무용지물이라는 것을

1 ③   **2** ④   **3** ④

4 일하고 있는 중일 수도 있으므로

1 ③   **2** ③   **3** ④

4 전쟁의 불확실성 때문에 항상 정확하지는 않다.

| 본문 해석 |

여러분은 아마도 "인간의 가장 좋은 친구"라는 옛말을 들어 보았을 것이다. 여러분이 이 말을 듣는다면 화자는 개를 두고 하는 말이다.

개는 오랫동안 인간과 함께 생활하고 일해 왔다. 개는 인간이 할 수 없는 많은 일을 할 수 있다. 양치기 개로 불리는 개는 인간에게 개가 얼마나 유익한지 보여 준다. 양치기 개는 농장에서 일하며 농부가 양을 다른 장소로 이동시키는 것을 돕는다.

오늘날 개는 신체적 장애를 가진 사람들에게 매우 유용하다. 보조견은 다양한 역할을 수행하는 일하는 개이다. 그들은 눈이 멀거나 시각적으로 손상을 입은 사람들을 돕는 맹도견이다. 그들은 귀가 멀었거나 귀가 어두운 사람들의 귀가 되어 주는 청도견이다. 또한 다른 보조견, 즉 도우미견, 수색 및 구조견, 심지어 발작 경고견(발작을 앓는 사람이 증세가 있을 때 알려 주는 개)도 있다.

여러분이 언젠가 거리에서 보조견을 보더라도 다가가서 쓰다듬지 마라. 그들이 일하는 동물이라는 사실을 기억하고 개가 긴장을 풀고 있는지, 즉 일하고 있지 않은지 확인해야 한다.

인터넷에 들어가서 보조견에 대해 더 많이 알아봐라. 개가 인간의 가장 좋은 친구라는 옛 속담을 더욱 잘 이해하도록 도와줄 것이다.

| 문제 해설 |

1 인간을 돕는 보조견에 대한 내용으로 인간에게 어떤 도움이 되는지 주로 설명하고 있으므로 ③이 적절하다.

2 사냥을 할 때 개가 하는 역할에 대해서는 언급되어 있지 않다. 따라서 ④가 정답이다.

3 앞에 나온 blind를 통해서 뜻을 유추할 수 있다. 눈이 먼 맹인과 비슷한 뜻이 되어야 하므로 시각적으로 손상을 입은 사람이라는 뜻이다. 따라서 ④ damaged(손상을 입은)가 정답이다.
   ① 완벽한 ② 수리된 ③ 발견된 ⑤ 회복된

4 보조견은 일하고 있는 중일 수도 있으므로 쓰다듬기 전에 긴장을 풀고 있는지 확인해야 한다고 했다.

| 직독 직해 |

· 개는 / 할 수 있다 / 많은 일을 / 인간이 할 수 없는

· 개는 / 매우 유용하다 / 사람들에게 / 신체적 장애를 가진

· 그것은 / 도와줄 것이다 / 당신이 / 이해하는 것을 / 더욱 잘 / 옛 속담을 / 왜 개가 인간의 가장 좋은 친구인지

| 본문 해석 |

장난감으로서의 드론이 오늘날 인기를 얻고 있다. 그것들은 비행기나 헬리콥터의 형태일 수 있다. 그러나 전자 기기를 이용해 땅에서 조종된다면 그것들은 드론이다. 드론은 기본적으로 날아다니는 로봇이다. 그리고 드론을 날리는 것은 재미있을 뿐만 아니라, 드론은 실생활에 많은 유용한 기능들을 수행할 수 있다.

군용 드론은 점점 더 일반화되고 있다. 군용 드론은 조종사가 필요하지 않아 위험한 여건에서 비행될 때 조종사들의 생명을 구할 수 있다. 게다가 조종사가 탑승하도록 설계된 비행기보다 더 가볍고 더 저렴할 수 있다. 군용 드론에 탑재된 GPS와 카메라는 조종자가 드론을 표적까지 안내할 수 있게 한다. 군용 드론은 일반적으로 인간 조종사에 의해 시도되지 않는 근접 촬영 임무들을 위해 이용되고 있다. 불행하게도, 군용 드론은 전쟁의 불확실성 때문에 항상 정확하지는 않다.

드론은 민간 용도도 찾아내고 있다. 농업용 드론은 농부들이 그들의 밭을 확인하는 데 이용되기 시작하고 있다. 농부들이 어떤 질병을 감지하면, 그들은 드론을 이용해 농약을 뿌릴 수 있다. 이런 농업용 드론은 농장이 크거나 언덕에 위치한 경우 특히 유용하다. 배달 드론은 또 다른 가능한 일이다. 소포나 음식을 위한 상업용 배달 드론은 현재 일부 유럽과 동아시아 국가에서 이용되고 있다. 의료 배달 드론은 특히 시골 지역에서 응급 의약 용품들을 위해 허용되기 시작하고 있다.

| 문제 해설 |

1 요즘에 드론이 여러 방면에 사용되고 있으며 계속해서 더 많은 활용 용도를 찾아내고 있다는 내용이므로 '드론은 여러 다양한 용도를 찾아내고 있다'는 ③이 정답이다.
   ① 드론을 날리는 것은 위험할 수 있다.
   ② 드론은 전쟁의 미래를 바꿀 것이다.
   ④ 드론을 이용하기 위한 새로운 법이 제정되어야 한다.
   ⑤ 인간 조종사는 드론으로 대체될 수 있다.

2 군용 드론, 농업용 드론, 상업용 드론 등이 언급되었지만 영화 촬영에 대해서는 언급되지 않았다. 따라서 ③이 정답이다.

3 드론의 여러 활용 영역을 설명하면서 배달 역시 가능하다고 말하고 있는 부분이다. 따라서 상업용 배달 드론에 대한 설명 바로 앞에 오는 것이 적절하다.

4 두 번째 문단 끝에서 전쟁의 불확실성 때문에 항상 정확하지는 않다고 하며 군용 드론의 한계, 즉 단점에 대해서 언급했다.

| 직독 직해 |

· 장난감으로서의 드론이 / 인기를 얻고 있다 / 오늘날

· 그것들은 / 더 가볍고 더 저렴할 수 있다 / 비행기보다 / 조종사가 탑승하도록 설계된

· 농업용 드론은 / 이용되기 시작하고 있다 / 농부들에 의해 / 그들의 밭을 확인하는 데

1 ⑤	2 ④	3 ③	4 ③

1 ③	2 ②	3 physical
4 fatal	5 predators	6 ①

7 learning → (to) learn

8 them → those

9 The Atacama Desert is 50 times drier than California's Death Valley.

10 Medical delivery drones are starting to be allowed for emergency medical supplies.

| 본문 해석 |

당신은 상어를 무서워하는가? '조스' 같은 영화에서는 상어를 위험한 포식자로 묘사한다. 모든 상어가 잔인한 살인자일까? 이런 사실을 생각해 보라. 지구에는 60억 이상의 사람이 살고 있다. 상어의 공격을 받는 경우는 매년 전 세계적으로 평균 56건이다. 이런 공격 중 치명적인 것은 10건 미만이다. 그러나 한 대학교의 발표에 따르면, 매년 약 7천 3백만 마리의 상어가 상업용과 오락용 포획으로 인간에게 죽음을 당한다.

상어는 대략 400종이 있다. 거의 모든 상어가 육식 동물이지만, 인간을 공격하는 상어는 대략 4종에 불과하다. 식인 상어로 가장 유명한 것은 백상아리이다. 백상아리 한 마리는 대략 길이가 6미터에 달한다! 전혀 상어라고 말할 수 없는 '상어'가 있다. 바로 고래상어이다. 고래상어는 세계에서 가장 큰 물고기이다. 고래상어는 길이가 20미터까지 자랄 수 있다. 고래상어는 주로 플랑크톤을 먹으며 사람에게 전혀 위험하지 않다.

상어를 한 번도 만나지 못할 가능성이 있지만, 만약 상어의 공격을 받는다면 어떻게 해야 할까? 상어의 코를 때리고 가능한 한 빨리 물에서 나와야 한다. 상어가 공격을 멈추지 않는다면, 눈과 아가미를 긁고 할퀴어라. 이 두 부위가 상어의 몸에서 가장 예민한 부분이다. 하지만 상어가 물속에 있다는 것을 안다면 들어가지 않는 것이 상책이다!

| 문제 해설 |

1 상어는 영화에서 묘사되는 만큼 사람에게 위험하지 않다는 사실을 나타내는 글이므로 '상어와 상어의 공격에 대한 진실'이라는 ⑤가 적절하다.
① 매우 위험한 상어
② 인간을 공격하는 상어
③ 상어의 공격에 대처하는 방법
④ 세계 최대의 상어들

2 고래상어는 플랑크톤을 주로 먹는다고 했으므로 ④가 정답이다.

3 상어를 '마주치다, 만나다'는 뜻이므로 face(마주치다)와 비슷한 뜻이다. 따라서 ③이 정답이다.
① 먹다 ② 죽이다 ④ 만들다 ⑤ 말하다

4 매년 발생하는 상어의 공격 중 치명적인 경우는 10건 미만이라고 했으므로 상어의 공격으로 죽을 확률은 낮음을 알 수 있다. 따라서 ③이 정답이다.

| 직독 직해 |

• 영화들은 / '조스' 같은 / 묘사한다 / 상어를 / 위험한 포식자로
• 때려라 / 그것의 / 코를 / 그리고 / 물에서 나와라 / 가능한 한 빨리
• 이것들이 이다 / 가장 예민한 두 부분 / 상어의 몸에서

| 문제 해설 |

1 useless는 '쓸모없는'이라는 의미로 ③ helpful(유용한)이 반대말이 된다.
[이 조그만 도구는 쓸모가 없다.]
① 자유로운 ② 게으른 ④ 둔한 ⑤ 창의적인

2 rural은 '시골의'라는 의미이므로 ② urban(도시의)이 반대말이 된다.
[많은 사람이 시골 지역으로 이주하고 있다.]
① 인기 있는 ③ 다양한 ④ 비싼 ⑤ 바쁜

[3~5]

| 보기 | 신체의   종(種)   포식자   민간의   치명적인

3 그녀는 몸 상태가 양호하다.

4 이 병은 사람에게 치명적일 수 있다.

5 어떤 오징어는 포식자로부터 자신을 보호하기 위해서 몸의 색깔을 바꿀 수 있다.

6 모두 현재분사인데 ①을 제외하고는 모두 명사를 수식하는 형용사로 쓰였다. ①은 진행의 의미를 나타낸다.
① 우리는 몇 시간 동안이나 여행을 해 왔다.
② 그 웃는 소년을 보았니?
③ 저 잠자는 개를 봐.
④ 나는 어제 노래하는 새를 보았다.
⑤ 그는 말하는 앵무새를 가지고 있다.

7 help는 목적격 보어로 동사원형이나 to부정사를 취한다.
[나는 그가 컴퓨터 기술을 배우도록 도왔다.]

8 앞에서 나온 명사의 반복을 피하기 위해서는 those를 사용해야 한다.
[달의 암석과 미네랄은 지구의 그것들과 비슷하다.]

Unit 03

09 | Valuable Gold   p. 30

1 ②   **2** ③   **3** ⑤

4 금값이 계속 올라가서 재정적으로 이익을 얻을 수 있으리라 믿기 때문에

| 본문 해석 |

금은 원소 기호가 Au이고, 원자 번호가 79인 화학 원소이다. 금은 밀도가 높고 부드러우며 광택이 있고 전성(展性)과 연성(延性)이 가장 큰 순수 금속이다. 금은 역사 초기 이래로 매우 귀중한 금속이었다. 금은 역사상 부의 상징으로 쓰였고 주화가 발명된 이후로 사실상 동전으로 사용되어 왔다. 역사상 최초의 금화는 기원전 2,700년경에 이집트 파라오에 의해 만들어졌다. 이 금화는 상업용이 아닌 주로 선물용으로 사용되었다. 수 세기가 지난 후에 리디아의 통치자였던 크로이소스 왕이 금화를 발행하기 시작했다.

현대에 와서 금은 예술, 기술, 보석, 의약품을 포함해서 많은 용도로 사용된다. 금은 류머티스 관절염의 통증과 부종을 감소시키는 데 유용하다고 입증되었다. 금은 음식에도 사용될 수 있다. 금박, 금 조각, 금가루가 일부 고급 음식에 사용된다. 중세 유럽의 귀족들은 음식과 음료에 금 조각을 장식으로 사용했다. 오늘날 많은 사람들은 금값이 계속 올라가서 재정적으로 이익을 얻을 수 있으리라 믿기 때문에 금을 산다.

| 문제 해설 |

1 처음에는 금의 속성에 대해서 이야기했지만 이후로는 금이 어떤 용도로 쓰이는지에 대해서 이야기하고 있으므로 '금이 사용되는 용도'라고 한 ②가 적절하다.
① 금의 기원
③ 금이 그토록 비싼 이유
④ 이집트에서 주화로 사용되는 금
⑤ 의학적으로 금이 쓰이는 방법

2 금이 다양한 용도로 쓰이고 있다며 첫 번째로 관절염 치료에 쓰이고 그 다음에 고급 음식에 사용된다고 했다. 따라서 고급 음식에 대한 내용 앞에 음식에도 사용된다는 것을 처음 언급하는 것이 문맥상 자연스럽다.

3 최초의 금화는 주로 선물용으로 사용되었다고 했다. 따라서 ⑤가 정답이다.

4 지문 마지막 부분에서 금값이 계속 올라가서 재정적으로 이익을 얻을 수 있으리라 믿기 때문에 금을 산다고 했다.

| 직독 직해 |

· 금은 / 매우 귀중한 금속이었다 / 이래로 / 역사 초기

· 이 금화는 / 사용되었다 / 주로 / 선물용으로 / 상업용이 아닌

· 그들은 / 믿는다 / 금값이 / 계속 올라갈 것이라고 / 그리고 / 재정적으로 이익을 얻을 수 있을 것이라고

10 | Mayan Pyramid   p. 32

1 ②   **2** ③   **3** ⑤   **4** ④

| 본문 해석 |

누가 피라미드는 이집트에서만 볼 수 있다고 했는가? 멕시코에는 거대한 피라미드 단지가 있다. 치첸이차는 매년 백만 명 넘는 관광객들을 끌어모으는 고대 멕시코 도시다. 그곳은 수천 년 전에 마야 사람들에 의해 건립되었고 많은 역사적인 유적지와 관광 명소가 있다. 전사들의 신전과 천문대 그리고 구기 경기장이 있다. 그러나 치첸이차의 가장 인상적인 건축물은 스페인어로 "성"이라는 뜻의 엘 카스티요다. 그것은 새로운 세계 7대 불가사의 중에 포함되어 있다.

엘 카스티요는 꼭대기에 사각형 신전이 있는 커다란 피라미드다. 그것은 이집트 피라미드보다 작지만, 그 원래 상태로 재건되었다. 그 피라미드는 매끄럽지 않지만 각각의 면에 계단 모양으로 된 네 개의 계단이 있다. 각 계단에는 91개의 계단이 있다. 그 계단을 모두 더하고 꼭대기 층을 포함시키면 365라는 숫자를 얻게 된다. 이것은 태양년의 날에 해당하는 수이다. 그리고 봄과 가을에 그 계단은 지그재그 형태의 그림자를 만든다. 이 모양은 마야인들의 깃털 달린 뱀신인 케찰코아틀을 나타낸다. 엘 카스티요의 경이로운 건축 양식과 천문학적 특징이 그것을 새로운 세계 7대 불가사의 중 하나로 만든다.

| 문제 해설 |

1 어떤 용도로 쓰여졌는지는 언급되지 않았으므로 ②가 정답이다.

2 여기서 features는 '특징'이라는 뜻으로 '요인, 요소'라는 뜻의 factors와 의미가 유사하다. 따라서 ③이 정답이다.
① 물품 ② 장소 ④ 문제 ⑤ 장점

3 훼손되었다는 내용은 없으며 원래 상태로 재건되었다고 했으므로 ⑤가 정답이다.

4 엘 카스티요의 계단의 수를 모두 더하면 태양년의 날에 해당하는 365가 된다고 했으며 가장 마지막 문장에서 천문학적 특징을 언급했으므로 천문학적 지식이 반영된 구조물임을 알 수 있다. 따라서 ④가 정답이다.

| 직독 직해 |

· 그곳은 / 건립되었다 / 수천 년 전에 / 마야 사람들에 의해

· 엘 카스티요는 / 커다란 피라미드다 / 사각형 신전이 있는 / 꼭대기에

· 그 피라미드는 / 매끄럽지 않지만 / 계단 모양이 있다 / 네 개의 계단으로 / 각각의 면에

11 | An Amazing Architect
p. 34

| **1** ⑤ | **2** ⑤ | **3** ④ | **4** T, T, F |

| 본문 해석 |

프랑스 전역을 통틀어 가장 높은 구조물인 에펠 탑을 방문하지 않고서는 프랑스 여행을 완벽하게 했다고 할 수 없다. 탑의 곡선 디자인은 탑이 1889년 국제 박람회를 기념하기 위해 지어졌을 때 대부분의 사람들을 깜짝 놀라게 만들었다. 그때까지는 그와 같은 모양의 건축물을 디자인한 사람이 아무도 없었다. 하지만 프랑스의 구조 공학자이자 건축가이고 금속 가공의 대가인 구스타브 에펠은 다른 사람과 같지 않았다. 그는 파리의 바람 패턴을 고려한 탑을 건축할 계획을 세웠다. 그는 바람에 적응시키기 위해 건축물에 많은 곡선을 덧붙였다. 완성되었을 당시에 에펠 탑은 세계에서 가장 높은 탑이었다.

에펠은 고등학교에서 문학과 역사를 공부함으로써 경력을 시작했지만 프랑스에서 가장 명성이 높은 공과 대학으로부터 입학 허가를 받지 못했다. 대신, 그는 철도 다리를 건설하는 건설 회사에 취직했다. 시간이 흐르면서 그는 창의적인 건축가로서의 평판을 구축했고, 점점 커다란 규모의 프로젝트를 맡게 되었다.

에펠은 에펠 탑 이외에 다른 것도 디자인했다. 그는 1886년에 미국을 위해서 자유의 여신상을 디자인했고, 필리핀에 자리한 세바스찬 교회를 디자인했다. 이 교회는 아시아 전역에 걸쳐 유일한 철제 교회로서 역사적인 건물로 여겨지고 있다. 또한 그는 베트남, 멕시코, 벨기에의 유명한 건물과 다리를 건축했다. 철도 건설로 경력을 시작했던 사람으로서는 괜찮은 업적이었다.

| 문제 해설 |

1 처음에는 에펠 탑에 대한 내용이 나오지만 전체적으로 에펠 탑을 디자인한 건축가 구스타브 에펠에 대한 내용이므로 '에펠 탑을 디자인한 건축가'라는 ⑤가 정답이다.
   ① 역사적인 건물
   ② 파리에 있는 에펠 탑
   ③ 뉴욕에 있는 자유의 여신상
   ④ 에펠 탑을 건축한 이유

2 프랑스에서 가장 명성이 높은 공과 대학이라는 뜻이므로 '저명한'이라는 뜻의 ⑤ renowned와 가장 뜻이 비슷하다.
   ① 친숙한 ② 반가운 ③ 예상되는 ④ 알려지지 않은

3 에펠 탑 이외에 다른 것도 디자인했다는 문장이므로 뒤에는 다른 건축 디자인에 대한 내용이 나와야 한다. 미국의 자유의 여신상, 필리핀에 있는 세바츠찬 교회를 디자인했다는 내용 앞에 오는 것이 자연스럽다. 따라서 ④가 정답이다.

4 구스타브 에펠은 어렸을 때 문학과 역사를 공부했다고 했다.

| 직독 직해 |

• 아무도 없었다 / 디자인한 사람이 / 건축물을 / 그와 같은 모양의
• 에펠은 / 시작했다 / 경력을 / 문학과 역사를 공부함으로써 / 고등학교에서

• 이 교회는 / 유일한 철제 교회이다 / 아시아 전역에서 / 그리고 / 여겨지고 있다 / 역사적인 건물로

12 | Losing Our Forests
p. 36

| **1** ① | **2** ③ | **3** ④ |
| **4** 숲이 없어서 빗물을 흡수할 수 없는 상황 |

| 본문 해석 |

숲을 개간하는 데는 많은 목적이 있다. 집을 짓고 가구를 만들기 위해 숲의 나무들이 베어질 수 있다. 또는 나무는 종이로 만들어지거나 연료로 이용된다. 그 땅은 커피나 야자나무와 같은 작물을 기르는 데 이용될 수 있다. 또는 소를 방목하거나 새로운 마을을 건설하는 데 이용될 수도 있다. 삼림 벌채는 심지어 금과 다이아몬드, 석유 혹은 가스가 채굴되는 땅에서 일어날 수도 있다.

그러나 삼림 벌채는 위험성도 있다. 숲은 식물과 동물에게 먹이와 쉼터를 제공한다. 숲은 이산화탄소를 흡수해 우리가 숨 쉬도록 산소를 만들어 낸다. 그리고 숲은 빗물을 빨아들이는 것을 돕는다. 이것이 땅과 개울에 빗물이 천천히 들어갈 수 있게 한다. 빗물을 흡수하는 숲이 없으면, 비가 어떤 토양도 침식시킬 수 있다. 그런 상황에서는 홍수가 더 흔해질 것이다. 그리고 장기적으로, 그 땅은 사막으로 변할 수 있다.

전 세계적으로 삼림 벌채의 양은 심각하다. 이는 대규모 소 방목과 콩 농사로 인해 브라질에 특히 그렇다. 지난 20년간 브라질 해안가 숲의 약 90%가 사라졌다. 인도네시아 또한 생물 연료를 위한 야자나무를 심기 위해 벌채가 되고 있다. 급속한 삼림 벌채는 또한 미얀마와 멕시코, 오스트레일리아에서 계속 문제가 되고 있다.

| 문제 해설 |

1 삼림 벌채를 하는 이유 중 댐 건설에 대해서는 언급되지 않았다. 따라서 ①이 정답이다.

2 숲은 이산화탄소를 흡수하고, 빗물을 흡수한다는 뜻이 적절하므로 ③ absorb(흡수하다)가 적절하다.
   ① 사용하다 ② 초래하다 ④ 발산하다 ⑤ 생산하다

3 인도네시아에서는 야자나무를 심기 위해서 삼림 벌채를 하고 있는 것이므로 앞으로 야자나무는 더 증가할 수 있다. 따라서 ④가 정답이다.

4 바로 앞 문장에 나와 있듯이 숲이 없어 빗물을 흡수할 수 없는 상황을 말하고 있다. 이로 인해 홍수가 더 많아진다고 볼 수 있다.

| 직독 직해 |

• 그 땅은 / 이용될 수 있다 / 작물을 기르는 데 / 커피나 야자나무와 같은
• 그것들은 / 이산화탄소를 흡수한다 / 그리고 / 산소를 만들어낸다 / 우리가 / 숨쉬도록
• 약 90%가 / 숲의 / 브라질 해안가의 / 사라졌다

1 ②　　　　**2** ①　　　　**3** structure

4 rapid　　　**5** reputation　　**6** ④

7 had → had been

8 is → are

9 He was awarded bigger and bigger projects.

10 A forest might be cut for wood to build houses and furniture.

| 문제 해설 |

1 precious는 '귀중한'이라는 의미로 ② valuable(귀중한)이 가장 적절하다.

[그 가게는 다이아몬드와 다른 귀한 보석을 취급한다.]

① 희귀한 ③ 큰 ④ 아름다운 ⑤ 역사적인

2 state는 '상태'라는 의미로 ① condition(상태)이 가장 적절하다.

[그 그림은 원래의 상태로 복원되었다.]

② 화가 ③ 나라 ④ 지방 ⑤ 가격

[3~5]

| 보기 | 평판　　건물　　빠른　　나타내다　　숙련된

3 산 정상에는 200미터 높이의 건물이 있다.

4 기술은 빠른 속도로 진화하고 있다.

5 그는 베스트셀러 작가라는 평판을 얻는다.

6 ④를 제외하고는 모두 앞에 나온 명사를 설명하는 동격이다. ④는 주어를 설명하는 형용사를 나열하고 있다.

① 내가 가장 좋아하는 선생님인 라이트 씨는 많은 숙제를 내주셨다.

② 내 딸인 아만다는 6살이다.

③ 제인의 영어 선생님인 스위프트 씨는 도쿄에 산다.

④ 밀러 씨는 똑똑하고, 재밌고 그리고 잘 생겼다.

⑤ 고등학교 때 가장 친한 친구였던 제인은 톰과 결혼했다.

7 had stolen의 주어가 되는 것은 my bag이므로 수동태가 되어야 한다. 따라서 had를 had been으로 고쳐야 한다.

[저는 제 가방이 도난당했다고 생각했어요.]

8 유도부사 there로 시작했으므로 수일치를 확인해야 한다. a lot of people은 복수이므로 is를 are로 고쳐야 한다.

[열차에 사람이 많이 있다.]

Unit 04

13 | Fine Pottery　　　　p. 40

1 ②　　　**2** ①　　　**3** ②　　　**4** ②

| 본문 해석 |

요즘 우리는 다양한 자기 제품을 볼 수 있다. 자기는 단단한 도자기의 한 종류다. 그것은 아주 얇기 때문에 빛이 통과할 수 있다. 그래서 우리는 자기는 거의 속이 다 비친다고 말한다. 그것은 극도로 작은 입자들을 가진 고령토로 만들어진다. 고령토는 물과 섞이면 끈적하게 된다. 자기를 만들기 위해 이 점토는 약 섭씨 1,400도에서 구워진다. 이는 다른 도자기보다 더 높은 온도다. 그리고 다른 종류의 도자기들과 달리, 자기는 물을 흡수하지 않는다. 그리고 두드렸을 때 맑고 금속성의 소리가 난다.

중국인들은 천 년도 더 전에 가장 먼저 자기를 개발했다. 수세기 동안, 중국의 청화백자는 동양과 서양 모두에서 인기 있는 수출 품목이었다. 그것들은 실크 로드로 이슬람 국가들과 유럽으로 거래되었다. 중국 자기는 그 품질과 아름다움 때문에 세계적으로 매우 높이 평가되었다.

유럽은 후에 현지 재료들을 이용해 자체 자기를 생산하기 시작했다. 그러나 처음에 그들은 더 부드러운 점토를 써서 중국 버전보다 더 약하게 되었다. 더 강하게 하고자 재료들이 나중에 추가되었다. 독일의 작센 주에는 최초의 유럽 자기 공장들 중 하나가 있었다.

| 문제 해설 |

1 자기의 특성과 역사에 대한 내용이므로 ②가 정답이다.

① 자기의 유럽 버전

③ 자기가 교역에서 그렇게 인기 있었던 이유

④ 중국 자기 제작의 역사

⑤ 중국 자기가 다른 자기보다 우수한 점

2 무늬에 대해서는 언급되지 않다. 따라서 ①이 정답이다.

3 중국의 자기는 동양과 서양에 인기 있는 수출품이라고 했으며 실크로드를 통해 유럽까지 수출되었다고 했다. 따라서 ②가 정답이다.

4 자기가 속이 다 비친다는 내용이므로 이전에는 그 원인에 대한 내용이 나와야 한다. 얇아서 빛이 통과한다는 내용 다음에 오는 것이 적절하므로 ②가 정답이다.

| 직독 직해 |

· 중국인들은 / 첫 번째였다 / 자기를 개발한 / 천 년도 더 전에

· 유럽은 / 후에 / 생산하기 시작했다 / 자신들만의 자기를 / 현지 재료들을 이용해

· 재료들이 / 나중에 추가되었다 / 더 튼튼하게 만들기 위해서

1 ②　　**2** ④　　**3** ①

4 황소들의 주의를 딴 데로 돌리기 위해서

1 ⑤　　**2** ⑤　　**3** ②

4 automobiles and airplanes

| 본문 해석 |

재미있는 축제는 어떤 것이라 생각하는가? 의상을 갖춰 입는 것이 재미있다고 생각하는가? 불꽃놀이와 춤을 즐기는 축제는 어떤가? 당신을 죽일 수도 있는 동물에 쫓겨서 거리를 뛰는 것은 어떤가? 많은 사람들에게는 이상하게 들리겠지만 이것이 바로 스페인에서 가장 유명한 축제 중 하나인 황소 달리기에서 실제로 일어나는 일이다.

매년 7월 7일에 스페인의 팜플로나 마을은 일부 거리를 봉쇄한다. 그리고 용감한 남녀 수백 명이 거리 한복판에 서서 기다린다. 마침내 황소들이 거리로 풀려나오고 사람들은 살기 위해 달린다. 축제에 가는 사람들은 전통적인 붉은 색과 흰 색의 의상을 입고 둥글게 만 신문을 가져간다. 황소의 공격을 받을 때 신문을 던져서 황소들의 주의를 딴 데로 돌릴 수 있기를 바라기 때문이다.

황소는 매우 위험한 동물이어서 사람들은 자주 부상을 당한다. 때때로 황소들이 사람들을 깔고 서서 뭉갠다. 때로는 자신의 날카로운 뿔로 사람들을 찌른다. 1910년 이후로 팜플로나의 유명한 축제 기간 동안 14명이 목숨을 잃었지만 사람들은 끊임없이 모여든다. 이 이상하고 위험한 축제에 참가하기 위해 매년 더욱 많은 사람들이 전 세계에서 모여든다.

| 문제 해설 |

1 스페인에서 열리는 유명한 축제인 황소 달리기에 대한 내용이다. 이 축제의 위험성에 대해서 주로 얘기하고 있으므로 '위험한 축제'라는 ②가 정답이다.
　① 위험한 동물들
　③ 사람들이 축제를 벌이는 이유
　④ 스페인의 흥미진진한 도시
　⑤ 세계에서 가장 인기 있는 스포츠

2 첫 번째 빈칸에는 '~에 의한'이라는 뜻으로 행위의 주체자를 나타낼 때 쓰는 by가 적절하며 두 번째 빈칸에는 '~함으로써'라는 뜻으로 방법을 나타내는 전치사 by가 적절하다. 따라서 ④가 정답이다.
　① ~처럼 ② ~의 ③ ~로 ⑤ ~을 위한

3 축제 참가 자격에 대해서는 언급되어 있지 않다. 따라서 ①이 정답이다.

4 세 번째 문단 마지막에서 황소들의 주의를 딴 데로 돌리기 위해서 신문을 던진다고 했다.

| 직독 직해 |

• 생각하는가 / 재미있다고 / 갖춰 입는 것이 / 의상을
• 사람들은 / 축제에 가는 / 입는다 / 전통적인 붉은 색과 흰 색의 의상을
• 더욱 많은 사람들이 / 모여든다 / 전 세계에서 / 참가하기 위해 / 이 이상하고 위험한 축제에

| 본문 해석 |

대체 에너지의 의미는 시간이 지남에 따라 변한다. 대체 에너지는 주력 에너지가 아닌 에너지원을 뜻한다. 대체 에너지는 주력 에너지원이 비싸고, 이용 불가능하거나 오염을 일으키는 경우에 이용된다. 인류 역사에서 19세기까지는 목재가 주력 에너지원이었다. 그 외 모든 것은 대체 에너지였다. 사람들이 풍차나 물레방아를 사용했다면, 그것은 지역적으로 제한된 사용을 위한 것이었다. 목재는 난방과 요리를 위한 연료로 전 세계적으로 이용되었다.

하지만 빠르게 성장하는 나라에서는 나무가 고갈되기 시작했다. 숲은 사라지지 않도록 관리되어야만 했다. 그러자 석탄이 19세기에 새로운 주력 에너지원이 되었다. 석탄은 죽은 식물과 동물체에서 생기는 화석 연료다. 그것은 지하로부터 채굴되어야 하는 검은 암석이다. 석탄은 열차와 발전소의 새로운 기술에 연료를 공급하는 데 도움이 되었다. 유감스럽게도, 석탄 채굴과 그것을 태울 때 나는 연기가 환경과 건강에 해가 되어 왔다.

그러자 20세기 초에 석유가 특히 자동차와 항공기에 주력 에너지원이 되었다. 석유 역시 화석 연료로 그 비축량이 영구히 계속되지 않을 것이다. 그리고 화석 연료로 인한 오염 문제가 더욱 악화되자, 사람들은 더 청정한 대체 에너지를 찾고 있다. 태양광과 풍력, 생물 연료, 그리고 수소는 재생 가능하고 더 청정한 대체재들이다.

| 문제 해설 |

1 화석 연료인 석탄과 석유는 환경 오염 문제가 있는데 석탄이 석유보다 더 심각하다고는 하지 않았다. 따라서 ⑤가 정답이다.

2 빈칸 앞에서는 석탄의 장점에 대해서 설명하고 있는데 빈칸 뒤에서는 단점에 대한 내용이다. 따라서 '유감스럽게도'라는 뜻의 ⑤가 정답이다.
　① 마침내 ② 아마 ③ 솔직히 ④ 특히

3 대체 에너지의 의미는 시간에 따라 변한다고 했으며 예전에는 대체 에너지가 주력 에너지 대신에 사용할 수 있는 모든 것을 뜻했다면 지금은 재생 가능하며 청정한 에너지를 뜻함을 알 수 있다. 따라서 오늘날의 대체 에너지는 예전과 의미가 다름을 유추할 수 있으므로 ②가 정답이다.

4 세 번째 문단에서 석유에 대한 내용이 나오는데 주로 자동차와 항공기에 사용된다고 했다.

| 직독 직해 |

• 대체 에너지는 / 에너지원이다 / 주력 에너지가 아닌
• 숲은 / 관리되어야만 했다 / 사라지지 않도록
• 그것은 / 화석 연료이다 / 또한 / 그리고 그 비축량이 / 영구히 계속되지 않을 것이다

16 | A Great Contribution
p. 46

1 ⑤ **2** ⑤ **3** ④

4 갈릴레오의 새로운 생각이 성경에 모순되었기 때문에

| 본문 해석 |

역사상 가장 뛰어난 과학자 중 일부는 학교에서 정말 형편없는 학생이었다. 이런 사람들은 다른 사람과 쉽게 어울리지 못한다. 때때로 그들이 이룩한 공헌은 수십 년 후까지도 인정을 받지 못한다. 이것이 바로 갈릴레오 갈릴레이에게 일어났던 일이다. 1564년 이탈리아의 피사에서 태어난 갈릴레오는 어린 시절을 피렌체에서 보냈다. 그의 아버지는 갈릴레오에게 의사가 되라고 강요했지만, 갈릴레오는 대학교 모든 과목에서 낙제를 했다. 그는 수학과 천문학으로 전공을 바꿨다. 그는 탁월한 수학자로 인정을 받았고, 자신이 전에 그만두었던 바로 그 대학교로부터 교수가 되어 달라는 요청을 받았다.

교수가 된 갈릴레오는 좀 더 무거운 물체가 좀 더 가벼운 물체보다 더 빨리 떨어진다는 기존의 이론에 도전장을 냈다. 그는 이런 생각의 오류를 입증하기 위해서 피사의 사탑에 올라가 꼭대기에서 여러 개의 물체를 떨어뜨렸다. 그 물체들은 모두 동시에 떨어졌다. 그는 천 년 동안 내려온 생각이 틀렸다는 것을 증명했고 이런 종류의 일을 계속했다!

자신만의 망원경을 만들어서 사용했던 갈릴레오는 목성의 주위를 돌고 있는 위성을 발견했다. 이런 발견을 통해서 갈릴레오는 태양이 지구 주위를 돈다는 중세 시대 믿음에 의문을 품었다. 갈릴레오는 많은 계산을 한 끝에, 지구가 태양 주위를 돈다는 결론에 도달했다. 가톨릭교회는 분노했다. 왜 그랬을까? 갈릴레오의 새로운 생각이 성경에 모순되었기 때문이다. 그래서 가톨릭교회는 갈릴레오를 자택에 감금시켰다. 갈릴레오가 옳았다는 사실을 과학자들이 증명한 것은 그로부터 100년이 지난 후였다.

| 문제 해설 |

1 가벼운 물체와 무거운 물체가 동시에 떨어진다는 것과 망원경을 만들어서 지구가 태양을 돈다는 것을 증명한 갈릴레오의 업적에 대한 내용이므로 ⑤가 정답이다.

2 갈릴레오는 가벼운 물체가 무거운 물체보다 먼저 떨어진다는 기존의 이론을 반박하며 동시에 떨어진다는 사실을 입증했다. 따라서 ⑤가 정답이다.

3 갈릴레오는 태양이 지구를 돈다는 기존의 이론에 의문을 품고서 정반대 이론을 내세웠지만 가톨릭교회에서는 그의 이론을 받아들이지 않았다. 따라서 ④가 정답이다.
① 선호했다, 동의하다 ② 싫어했다, 거절하다 ③ 존경했다, 조사하다 ⑤ 반대했다, 반대하다

4 글의 마지막 부분에 가톨릭교회 측에서 갈릴레오를 감금한 이유가 나온다. 지구가 태양을 돈다는 그의 생각은 성경에 모순되었기 때문이다.

| 직독 직해 |

• 이것이 이다 / 일어났던 일 / 갈릴레오 갈릴레이에게

• 그의 아버지는 / 강요했다 / 그에게 / 의사가 되라고

• 100년이 지난 후였다 / 과학자들이 증명한 것은 / 갈릴레오가 옳았다는 사실을

Review Test (13 ~ 16)
p. 48

1 ⑤ **2** ⑤

3 contradict **4** release **5** globally

6 ③ **7** Which → What

8 or → and

9 Coal is a fossil fuel that comes from dead plant and animal life.

10 He challenged the theory that heavier objects fall faster than lighter objects.

| 문제 해설 |

1 thin은 '얇은'이라는 의미로 ⑤ thick(두꺼운)이 반대말이 된다.
[방 사이의 벽은 매우 얇았다.]
① 끈끈한 ② 맑은 ③ 장식된 ④ 힘센

2 rapidly는 '빠르게'라는 의미로 ⑤ slowly(천천히)가 반대말이 된다.
[그 병은 유럽 전역으로 빠르게 퍼질 수 있다.]
① 쉽게 ② 빠르게 ③ 정확히 ④ 분명히

[3~5]

| 보기 | 풀어 주다 부수다 석유 전 세계적으로 모순되다

3 두 목격자의 진술은 서로 모순된다.

4 그들은 호랑이를 야생에 풀어 주기로 결정했다.

5 월드컵 결승전은 전 세계로 방송되었다.

6 ③의 It은 강조구문에서 쓰인 것이고, 나머지는 가주어로 쓰인 It이다.
① 여러분이 수영을 배우는 것은 필요하다.
② 여러분이 규칙을 준수하는 것은 중요하다.
③ 프랑스로 이민을 간 것은 제니스이다.
④ 여러분이 제시간에 도착하는 것은 중요하다.
⑤ 그와 같은 상황에서 두려움을 느끼는 것은 당연하다.

7 밑줄 친 부분은 주어 역할을 하는 명사절이 되어야 한다. 명사절을 이끄는 것 중에는 관계대명사 What이 있다.
[내가 필요한 것은 양질의 수면이다.]

8 both는 뒤에 A and B가 와야 한다. 따라서 or을 and로 바꿔야 한다.
[운동은 몸과 마음에 모두 유익하다.]

Unit 05

17 | The Other Milk

17 | The Other Milk p. 50

1 ⑤ **2** ⑤ **3** ⑤

4 마그네슘이 많고, 나트륨이 적으며 콜레스테롤이 없다.

| 본문 해석 |

코코넛 우유와 일반 우유의 공통점은 무엇일까? 불투명한 흰색이다. 그것이 전부이다. 코코넛 우유는 과일의 가운데서 발견되는 액체가 아니다. 코코넛 우유는 코코넛의 과육으로 만들어진다. 코코넛을 잘게 잘라 뜨거운 물에 담가서 불린 다음, 손이나 기계로 코코넛 물이 나오지 않을 때까지 꼭 짠다. 이 초기 과정에서 나오는 액체는 초유이다. 이 과정은 한두 번 더 반복될 수 있지만 우유는 그때마다 농도가 옅어질 것이다.

비록 '우유'가 콩, 쌀, 견과류 같은 많은 원천으로부터 만들어질 수 있지만, 코코넛 우유에는 눈에 띄는 장점이 몇 가지 있다. 코코넛 우유는 마그네슘이 많고, 나트륨이 적으며 콜레스테롤이 없다. 이런 코코넛 우유 제품에는 포화지방이 매우 많다는 단점도 있다. 그러나 인체는 유제품에서 발견되는 포화지방보다 코코넛 우유에 함유된 이런 형태의 포화지방을 더 쉽게 대사시키는 것으로 보인다.

비록 코코넛 우유와 동물 우유가 매우 비슷해 보이기는 하지만 유사점은 거기까지일 뿐이다. 맛에 있어서는 전혀 비슷한 점이 없다. 그러나 뜨거운 코코아 한 잔이나 크리스마스 에그노그 한 잔은 코코넛 우유를 넣어 만들면 똑같이 영양분이 많고 만족스럽다.

| 문제 해설 |

1 마지막 부분에서 맛에 있어서는 일반 우유와 전혀 비슷한 점이 없다고 했으므로 ⑤가 정답이다.

2 비슷해 보이지만 유사한 것은 이것 하나라는 뜻이므로 '비록 ~이지만'이라는 뜻이 되어야 한다. 따라서 ⑤ Even though 가 적절하다.
① 만약 ② 일단 ~하면 ③ ~이후로 ④ ~할 때

3 포화지방이 많지만 이런 형태의 포화지방은 인체에서 더 쉽게 대사시킨다고 했으므로 걱정할 수준은 아님을 알 수 있다. 따라서 ⑤가 정답이다.

4 포화지방이 많다는 단점을 언급하긴 했지만 장점으로는 마그네슘이 많고, 나트륨이 적으며 콜레스테롤이 없다고 했다.

| 직독 직해 |

· 코코넛 우유는 / 액체가 아니다 / 발견되는 / 과일의 가운데서
· 우유는 / 옅어질 것이다 / 농도가 / 매번
· 비슷한 점이 없다 / 맛에 있어서는 / 전혀

18 | Mystery of the Moon p. 52

1 ② **2** ④ **3** ⑤

4 the Giant Impact Theory

| 본문 해석 |

매일 밤 하늘을 보면 달을 볼 수 있는데 이 달이 어떻게 만들어졌는지 궁금해한 적이 있는가? 달은 자연적 결과로 생긴 지구의 위성이다. 그것은 행성이 태양 주변을 도는 동안 그 행성의 주변을 돈다. 그러나 우주의 본질에 관해 알게 되었을 때, 달에 관한 몇 가지 미스터리가 생겨났다. 실제로, 달의 정확한 기원은 수백 년 동안 수수께끼가 되어 왔다. 대부분의 위성은 그것이 궤도를 도는 행성과 비교해 매우 작다. 하지만 달은 지구와 비교해 유별나게 크다. 여러 학설들이 제시되어 왔지만, 지금은 하나가 널리 수용되었다.

우리는 달이 지구의 중력에 포획된 것이라고 생각했었다. 그러나 달은 지구에 포획되기에는 너무 큰 것처럼 보였다. 목성의 가장 큰 위성 4개는 목성보다 훨씬 더 작다. 그래서 목성의 매우 큰 중력이 그것들을 포획할 수 있다는 것은 말이 된다. 그러나 지구는 달보다 고작 4배 더 폭이 넓을 뿐이다. 그래서 포획설은 만족스럽지 않았다.

이제 과학자들은 달이 지구에서 떨어져 나왔다고 생각한다. 그 학설은 거대 충돌설이라고 불린다. 초기 태양계에 행성들 사이에 많은 충돌과 충격이 있었다. 그런 충돌 하나가 지구와 테이아라는 이름의 또 다른 행성 사이에 있었다. 이 충돌로부터의 암석과 먼지들이 달을 형성했다. 이것이 지구가 어떻게 그렇게 큰 위성을 갖게 되었는지를 설명한다.

| 문제 해설 |

1 달이 어떻게 해서 탄생하게 되었는지에 대한 내용이므로 ②가 정답이다.
① 달의 중력
③ 지구와 목성의 위성들
④ 달이 얼마나 자주 지구를 공전하는지
⑤ 지구와 달의 차이점

2 마지막 문장으로 다시 요약하는 부분이다. 지구가 어떻게 달과 같이 큰 위성을 가지게 되었는지에 대한 내용이므로 ④가 정답이다.
① 지구가 어떻게 시작되었는지
② 지구가 어떻게 태양을 공전하는지
③ 목성이 어떻게 위성들을 갖게 되었는지
⑤ 지구가 어떻게 태양계의 행성이 되었는지

3 달이 지구의 위성이 된 배경으로 지구의 중력에 의한 설이 있었는데 달이 지구에 비해 너무 크기 때문에 설득력이 부족하다고 했다. 따라서 ⑤가 정답이다.

4 one은 달의 탄생과 관련된 이론 중에서 현재 받아들여지고 있는 이론을 뜻한다. 세 번째 문단에서 거대 충돌설에 대해 말하며 이것이 과학자들이 생각하는 이론이라고 나와 있다.

- 대부분의 위성은 / 매우 작다 / 비교해 / 그것이 주변을 도는 행성과
- 우리는 / 생각했었다 / 달이 지구의 중력에 포획된 것이라고
- 말이 된다 / 목성의 매우 큰 중력이 / 그것들을 포획할 수 있다는 것이

19 | The Benefits of Zoos   p. 54

| 1 ③ | 2 ④ | 3 ④ | 4 ③ |

| 본문 해석 |

동물원은 전 세계의 나라와 각 지역에서 온 외래 야생 동물을 볼 수 있는 멋진 장소이다. 동물원은 야생 동물에 관해 배울 수 있는 놀라운 장소이자 가족이나 친구들과 함께 하루를 보낼 수 있는 재미있는 장소이다.

과거에 동물원으로 가는 현장 학습은 그저 재미만을 위한 것이었다. 오늘날 동물원에는 동물의 크기, 모습, 서식지, 개체 수와 같은 동물에 대한 많은 정보가 적힌 유익한 팻말이 있다. 어떤 동물이 멸종 위기에 처해 있다면 동물원은 그 동물을 보호할 수 있는 활동에 대해 알려 준다. 현재 많은 동물원이 방문객을 위해 교육 부서를 두고 있다.

동물원은 훌륭한 일을 많이 한다. 동물원은 야생 동물을 야생으로 돌려보내려고 사육하면서 그들을 보호하는 일을 한다. 또한 동물을 연구하고 사람들에게 동물에 대해 가르친다. 와이오밍 두꺼비는 1995년 이전에 야생에서 멸종되었다. 1995년 이후부터 6천 마리 이상의 와이오밍 두꺼비가 번식되어 서식지로 돌려보내지고 있다. 또 다른 성공적인 이야기는 케냐가 원산지인 그레비얼룩말에 대한 것이다. 미국의 세인트루이스 동물원과 케냐의 기관들은 서로 협력해 멸종 위기에 처한 이 동물에 대해 케냐에서 사람들을 교육한다. 그리고 얼룩말의 숫자가 꾸준하게 증가하는 것으로 보아 교육 캠페인이 효과를 거두고 있는 것 같다.

동물원은 훌륭한 학습 경험을 하는 장소가 될 수 있다. 동물원에 입장하기 위해 산 입장권의 일부가 멸종 위기에 처한 동물을 구하는 데 도움을 줄지 누가 알겠는가?

| 문제 해설 |

1 동물원의 교육적인 면과 동물 보호에 있어서 하는 역할에 대한 내용이다. 따라서 ③이 정답이다.

2 수익 사업을 통해 지역 사회 발전을 도모한다는 내용은 없으므로 ④가 정답이다.

3 동물원의 성공 사례를 들고 있는데 주어진 문장이 Another success story라고 시작하고 있으므로 앞서 성공 사례가 나왔으며 이어서 그레비얼룩말에 대한 내용이 나옴을 알 수 있다. 따라서 ④가 정답이다.

4 앞서 동물원이 하는 일로서 야생 동물을 사육해서 야생으로 돌려보낸다고 했으므로 다시 돌아가는 곳으로는 원래 서식지임을 알 수 있다. 따라서 ③ habitats(서식지)가 정답이다.
   ① 규칙 ② 집 ④ 친구 ⑤ 조직

- 동물원에는 / 있다 / 유익한 팻말이 / 많은 정보가 적힌 / 동물에 대한 / 당신이 보는
- 그들은 / 일을 한다 / 야생 동물을 보호하는 / 야생 동물을 사육해서 / 야생 세계로 돌려보내기 위해
- 교육 캠페인이 / 효과를 거두고 있는 것 같다 / 얼룩말의 숫자가 꾸준하게 증가하는 것으로 보아

20 | Circle of Stones   p. 56

| 1 ④ | 2 ④ | 3 ⑤ | 4 ② |

| 본문 해석 |

고대 세계에 지어진 신비스러운 건축물이 많이 있다. 이 많은 고대 불가사의 중에서도 스톤헨지는 가장 신비스러운 구조물 중 하나이다. 스톤헨지라는 이름의 기원은 단순히 "스톤"과 "헨지"의 합성어로 만들어졌다. 스톤헨지는 영국 남부의 윌트셔 주 에임즈베리에 위치한 선사 시대의 기념비이다. 고고학자들은 그 석재 기념비가 기원전 3,700년에서 기원전 1,600년 사이에 지어져 사용되었다고 믿고 있다.

스톤헨지는 17개의 수직 돌로 원형을 이루고 있다. 스톤헨지의 건축에는 두 종류의 돌이 사용되었다. 스톤헨지에 사용된 돌의 무게는 4에서 50톤 사이이다. 이 돌들은 먼 곳에서 운송되었는데, 사람들은 이 돌들이 현재 위치까지 어떻게 운송되었는지 아직도 명확하게 알지 못한다.

현대에는 "스톤헨지가 무엇인가?", "누가 스톤헨지를 세웠는가?", "스톤헨지의 목적은 무엇인가?"와 같은 질문이 되풀이되고 있다. 어떤 사람들은 스톤헨지가 종교적 숭배지로 사용되었다고 말한다. 스톤헨지가 연간 달력과 계절을 계산하기 위해 지어졌다고 말하는 사람도 있다. 하지만 아무도 스톤헨지의 정확한 목적을 확실히 알지는 못한다.

스톤헨지가 처음으로 대중에게 공개되었을 때는 돌 사이를 걷고 그 위에 올라가는 것도 가능했다. 오늘날 방문객들이 돌을 만지는 것은 더 이상 허용되지 않는다. 방문객은 기념비 주위를 걸을 수 있을 뿐이다. 스톤헨지는 1986년에 유네스코가 지정한 세계 유산 목록에 추가되었다.

| 문제 해설 |

1 영국에 있는 스톤헨지에 대한 설명으로 주로 세워진 기원을 추측하는 내용이다. 따라서 ④가 정답이다.

2 관광객들은 돌을 만질 수 없다고 했지만 얼마나 많은 사람이 방문하는지에 대해서는 언급되지 않았다. 따라서 ④가 정답이다.

3 calculate는 '계산하다'는 뜻이므로 '세다, 계산하다'라는 뜻의 count와 비슷한 의미이다. 따라서 ⑤가 정답이다.
   ① 수송하다 ② 만들다 ③ 건설하다 ④ 운반하다

4 역접을 뜻하는 But 다음에 빈칸이 있으므로 앞의 내용을 살펴봐야 한다. 스톤헨지를 누가 세웠는지, 목적이 무엇인지 등 여

러 가지 설이 있지만 아무도 정확한 목적은 모른다는 뜻이 적절하다. 따라서 ②가 정답이다.

| 직독 직해 |

· 무게는 / 돌의 / 사용된 / 스톤헨지에 / 4에서 50톤 사이이다
· 어떤 사람들은 / 말한다 / 스톤헨지가 사용되었다고 / 종교적 장소로 / 숭배하는
· 방문객들은 / 더 이상 허용되지 않는다 / 돌을 만지는 것이

Review Test (17 ~ 20)   p. 58

1 ③   2 ⑤
3 organization   4 shipped
5 permitted   6 ⑤
7 very → much[또는 even, still, far …]
8 be true → (to be) true
9 The flesh of the coconut is squeezed either manually or by machine.
10 It is one of the most mysterious structures.

| 문제 해설 |

1 downside는 '단점'이라는 의미로 ③ disadvantage(단점)가 가장 적절하다.
[나는 스마트폰의 단점을 찾을 수 없다.]
① 먼지 ② 기술 ④ 특징 ⑤ 배터리

2 orbit은 '공전하다'는 의미로 ⑤ rotates(돌다)가 가장 적절하다.
[달은 지구 주변을 공전한다.]
① 때리다 ② 만들다 ③ 빛나다 ④ 폭발하다

[3~5]

| 보기 | 배송하다   허락되다   유익한   단체   기원

3 그린피스는 환경 단체이다.
4 나는 테이블을 주문했는데, 아직 그들은 배송하지 않았다.
5 박물관 안에서 음식물은 허락되지 않는다.
6 ⑤는 앞에서 언급된 대상과 같은 종류를 가리키는 대명사인 반면 나머지 that은 지시형용사이다.
① 저 남자애가 나를 때렸다.
② 스커트를 입은 저 소녀가 보이니?
③ 저 모자를 써 봐도 될까요?
④ 우리 아버지는 저 건물에서 근무하신다.
⑤ 중국의 인구는 호주의 인구보다 훨씬 더 많다.
7 very는 비교급을 수식할 수 없다. 비교급을 수식할 수 있는 much 등의 다른 부사로 고쳐야 한다.
[기린은 말보다 훨씬 크다.]
8 seem은 to부정사나 to be가 생략된 형태의 보어를 취한다.
[그의 이야기는 사실처럼 보인다.]

Unit 06

21 | Fatty Fruit   p. 60

1 ⑤   2 ③   3 ④
4 과육이 크림 같아서

| 본문 해석 |

아보카도와 관련된 제품을 써 본 적이 있는가? 아보카도는 가운데 커다란 씨가 하나 있는 배 모양의 과일이다. 그것은 멕시코와 남아메리카 원산으로 그곳에서 1만년 넘게 자라 왔다. 아보카도의 품종에 따라, 그 껍질은 녹색이거나 심지어 보라색이 될 수도 있다. 그것은 또한 울퉁불퉁하거나 매끄러울 수 있다. 울퉁불퉁한 품종은 이 과일에 "악어 배"라는 별명을 붙여 줬다. 과육은 대개 연한 녹색이고 크림 같은 느낌이다. 이 때문에 세계 일부 지역에서 이것은 "버터 과일"이라고 불린다. 오늘날 이것은 전 세계, 특히 멕시코와 미국, 브라질, 그리고 콜롬비아에서 재배된다.
아보카도 하나에는 약 300칼로리와 약 30그램의 지방이 있다. 이는 과일 하나치고는 많은 지방량이다. 그러나 이것은 모두에게 필요한 좋은 종류의 지방이다. 좋은 지방은 건강을 유지해 주며 체중이 많이 늘지 않게 해 준다. 그리고 몇몇 영양소는 체내로 흡수되기 위해 지방의 도움이 필요하다. 게다가, 아보카도는 혈당치를 낮추도록 돕는 섬유질의 좋은 공급원이다. 아보카도는 또한 칼륨과 비타민을 많이 갖고 있다. 전반적으로, 아보카도는 질병으로부터 보호할 수 있는 영양분이 많고 건강에 좋은 과일이다.

| 문제 해설 |

1 아보카도 하나는 300칼로리 정도 되는데 이것이 높은 편인지 그리고 다이어트에 좋지 않은지는 알 수 없다. 따라서 ⑤가 정답이다.
2 단백질에 대해서는 언급되지 않았으므로 ③이 정답이다.
3 bumpy 뒤에 나온 smooth를 통해서 bumpy가 smooth와 상반된 어휘임을 추측할 수 있다. 또한 alligator pear라는 별명을 통해서 bumpy가 '울퉁불퉁한'이라는 뜻임을 알 수 있다. 따라서 '거친'이라는 뜻의 ④가 정답이다.
① 짭짤한 ② 즙이 많은 ③ 달콤한 ⑤ 동그란
4 아보카도가 때때로 '버터 과일'이라고 불리는 이유는 무엇인가?
첫 번째 문단 후반부에서 과육이 크림 같아서 '버터 과일'이라고 불린다고 했다.

| 직독 직해 |

· 아보카도는 / 배 모양의 과일이다 / 커다란 씨가 하나 있는 / 가운데에
· 몇몇 영양소는 / 필요하다 / 지방의 도움이 / 체내로 흡수되기 위해
· 아보카도는 / 섬유질의 좋은 공급원이다 / 혈당치를 낮추도록 돕는

22 | Real Live Vampires — p. 62

1 ⑤ **2** ① **3** T, F, F

4 멕시코, 중부 아메리카, 남부 아메리카의 정글 지역에서만 찾아볼 수 있는 희귀한 동물이기 때문에

| 본문 해석 |

흡혈귀가 무엇인지 아는가? 흡혈귀는 음식을 먹지 않고 피를 마시는 동물이다. 흡혈귀가 등장하는 무시무시한 영화와 책이 많기 때문에 흡혈귀에 대해 알고 있을지 모르겠다.

하지만 흡혈귀가 영화나 책에만 존재한다고 생각한다면 흡혈박쥐에 대해 들어본 적이 없을 것이다. 흡혈박쥐는 실제로 존재한다! 이는 날아다니며 유일한 식량으로 피를 마시는 유일한 포유류이다.

흡혈박쥐는 야행성 동물이다. 그들은 밤에 나와서 다른 동물의 피를 마신다. 그들의 통상적인 식량 공급원은 말과 소다. 흡혈박쥐는 숙주 근처에 내려앉아서, 먹이를 물 수 있을 정도로 가까워질 때까지 땅바닥을 기어간다. 일단 물고 나면 대개 30분 정도 피를 마신다. 흡혈박쥐는 숙주에 실질적으로 해를 미칠 정도까지 피를 마시지는 않는다. 흡혈박쥐가 미치는 진짜 위험은 물어서 생길 수 있는 감염과 질병의 위험성에 있다.

피를 마시는 이 박쥐는 대부분 100마리 정도 무리를 지어 산다. 한 무리가 일 년에 소 25마리에 있는 정도의 피를 마실 수 있다! 하지만 걱정하지 마라! 흡혈박쥐는 멕시코, 중부 아메리카, 남부 아메리카의 정글 지역에서만 찾아볼 수 있는 희귀한 동물이기 때문에 당신이 학교 가는 길에 만날 가능성은 거의 없다.

| 문제 해설 |

1 흡혈귀 영화는 공포 영화이므로 scary는 ⑤ frightening(무서운)과 비슷한 뜻임을 알 수 있다.
① 슬픈 ② 미안한 ③ 피투성이의 ④ 감정 기복이 심한

2 흡혈박쥐가 위험한 이유는 피를 많이 빨아먹는 것이 아니라 그 과정에서 감염의 위험이 있기 때문이다. 따라서 ①이 정답이다.

3 흡혈박쥐는 보통 30분 정도 피를 마시며 피를 빨린 가축은 감염의 위험이 있기는 하지만 피를 빨려서 죽거나 하지는 않는다고 했다.

4 우리 주변에서 흡혈박쥐를 볼 가능성이 거의 없는 이유는 무엇인가?
흡혈박쥐를 쉽게 볼 수 없는 이유는 글의 마지막에 언급되어 있는데 특정 정글 지역에서만 볼 수 있기 때문이라고 언급되어 있다.

| 직독 직해 |

• 흡혈귀는 / 동물이다 / 피를 마시는 / 대신에 / 음식을 먹는 것

• 그것은 / 유일한 포유류이다 / 날아다니며 피를 마시는 / 유일한 식량으로

• 그것은 / 마시지 않는다 / 충분한 피를 / 숙주에 실질적으로 해를 미칠 정도까지

23 | Flies Across — p. 64

1 ④ **2** ① **3** ③

4 That is what made Amelia Earhart famous.

| 본문 해석 |

1903년 이전에는 모터가 달린 기구를 타고 비행을 한 사람은 아무도 없었다. 그 후에 라이트 형제가 비행기를 발명하면서 비행에 대한 개념이 실현되었다. 1920년대에 이르러서야 비로소 여성이 비행을 시작했고, 1926년에 이르러서야 비로소 한 여성이 승무원 한 명과 대서양을 횡단 비행하였다. (이점이 바로 아멜리아 에어하트를 유명하게 만든 것이다.) 에어하트는 세계에서 가장 유명한 초기 비행사 중 한 사람이다.

1897년에 태어난 그녀는 항공 역사의 초기에 활약했던 선구자였다. 그녀는 1926년에 단독 비행으로 대서양을 횡단한 최초의 여성이 되었다. 그녀는 1932년까지 몇 차례에 걸쳐 속도와 거리에서 기록을 세웠다. 같은 해에 미국 대통령이 그녀에게 금메달을 수여했다.

그러나 1937년에 에어하트에게 비극이 닥쳤다. 에어하트는 전 세계를 비행한 최초의 여성이 되고 싶었다. 그녀는 1937년 6월에 이륙해서 동쪽에서부터 전 세계를 여행했다. 여행을 끝내기 불과 며칠을 앞두고 그녀가 조종한 비행기는 태평양 어딘가에 추락했다. 수색대와 구조대가 사상 최대의 수색 및 구조 활동을 시작했지만, 에어하트도 비행기 잔해도 찾지 못했다. 오늘날까지도 그녀의 실종에 대해 많은 이론이 있지만, 에어하트에게 실제로 무슨 일이 일어났는지는 아무도 모른다. 그럼에도 그녀는 두려움을 모르는 탐험가의 가장 좋은 본보기 중 하나로 남아 있다.

| 문제 해설 |

1 여성 조종사인 아멜리아 에어하트에 대한 내용이다. 따라서 '가장 유명한 여성 조종사의 삶'이라는 ④가 정답이다.
① 미국 최초의 비행기
② 용기 있는 남녀 조종사들
③ 비행기 조종의 위험성
⑤ 라이트 형제와 라이트 형제의 업적

2 여기서 concept는 비행에 대한 '개념'이라는 뜻이므로 idea(생각)와 비슷한 뜻이다. 따라서 ①이 정답이다.
② 계획 ③ 사건 ④ 감각 ⑤ 행동

3 세계 일주 성공을 불과 며칠 앞두고 추락했다고 했으므로 임무를 완수하지 못했음을 알 수 있다. 따라서 ③이 정답이다.

4 앞서 나온 내용을 that으로 받을 수 있으므로 주어는 that이 되며 동사는 is가 된다. '유명하게 만든 것'이라는 의미를 만들기 위해서는 명사절을 이끌 수 있는 what을 이용할 수 있다.

| 직독 직해 |

• 1920년대에 이르러서야 / 여성이 비행을 시작했다

• 그녀는 / 되었다 / 최초의 여성이 / 단독 비행으로 / 대서양을 횡단한

• 그녀는 / 남아 있다 / 가장 좋은 본보기 중 하나로 / 두려움을 모르는 탐험가의

24 | The First Plant
p. 66

1 ② **2** ③ **3** ④

4 바위와 돌을 부셔서 새로운 흙을 만들기 때문에

| 본문 해석 |

이끼를 과소평가해서는 안 된다. 이 단순한 식물은 거의 5억년 전에 지상에 최초로 도달했다. 이끼는 바다 조류로부터 진화해 물 밖에서 사는 것에 적응했다. 조류처럼 이끼는 광합성을 이용해 햇빛을 에너지로 바꿀 수 있다. 이끼는 작은 식물로, 어떤 것은 너무 작아서 보이지 않는다. 하지만 모든 종의 이끼는 빽빽이 모여 살아야만 한다. 이는 안에 물을 저장할 수 없기 때문이다. 이끼는 떼 지어 함께 물을 보유해야만 한다. 그래서 선호하는 곳이 습하거나 그늘진 곳이다.

사람들은 이끼가 자라는 곳 때문에 이끼를 좋아하지 않을 수 있다. 그러나 이끼는 생태계에 중요하다. 이끼는 습기를 머금고 있어 다른 식물들의 씨앗이 자라도록 돕는다. 이끼는 또한 거미와 곤충, 벌레들과 같은 작은 동물들이 살기에 좋은 장소다. 새는 그런 생물체들을 먹고, 쥐는 이끼 자체의 일부분을 먹는다.

이끼는 또한 토양의 침식을 예방하도록 돕는다. 이끼는 토양을 뭉치고 빗물을 흡수함으로써 이렇게 한다. 이끼는 또한 돌과 바위를 부셔서 새로운 토양을 만들어 낼 수도 있다. 이 때문에 이끼는 아직 생물이 없는 장소에서 개척자 역할을 한다.

| 문제 해설 |

1 이끼는 물을 저장할 수 없기 때문에 집단을 이루어 서식한다고 했다. 따라서 ②가 정답이다.

2 help는 준사역동사로서 5형식에서 목적격보어로 동사원형 또는 to부정사 모두 올 수 있다. 역시 3형식에서도 목적어 자리에 동사원형 또는 to부정사가 올 수 있다. 따라서 ③이 정답이다.
① 허락하다 ② 주다 ④ 가지다 ⑤ 만들다

3 상처 치료에 대해서는 언급되지 않았다. 따라서 ④가 정답이다.

4 세 번째 문단에서 이끼는 돌과 바위를 부셔서 새로운 흙을 만들면서 개척자 역할을 한다고 했다.

| 직독 직해 |

• 이는 때문이다 / 그들은 물을 저장할 수 없다 / 안에
• 사람들은 / 좋아하지 않을 수 있다 / 이끼를 / 자라는 곳 때문에
• 이끼는 / 개척자 역할을 한다 / 장소에서 / 아직 생물이 없는

Review Test (21 ~ 24)
p. 68

1 ① **2** ③ **3** moist

4 evolved **5** native **6** ④

7 such → such as

8 already left → had already left

9 One avocado has about 30 grams of fat.

10 The bat crawls until it is close enough to bite its victim.

| 문제 해설 |

1 lower는 '낮추다'라는 의미로 ① raise(올리다)가 반대말이 된다.
[식사 때 나트륨을 줄이는 것은 혈압을 낮추는 데 도움이 된다.]
② 줄이다 ③ 야기하다 ④ 예방하다 ⑤ 치료하다

2 fearless는 '두려움이 없는'이라는 의미로 ③ afraid(두려운)가 반대말이 된다.
[그들은 위험 앞에서 두려움이 없었다.]
① 생각이 없는 ② 사려 깊은 ④ 예의 있는 ⑤ 무례한

[3~5]

|보기| 원산의 진화했다 촉촉한 야행성의 구출했다

3 비가 내리면 공기는 촉촉해진다.

4 몇몇 사람들은 인간이 원숭이에서 진화했다고 믿었다.

5 독수리는 북아메리카 원산이다.

6 ④의 to raise는 place를 수식하는 형용사 역할을 하지만 나머지는 모두 목적을 나타내는 부사적 용법으로 쓰였다.
① 우리는 기금을 조성하기 위해서 중고 물품을 팔 것이다.
② 그녀는 가족을 돌보기 위해서 그만둔 건가요?
③ 이 행사는 어린이를 위한 기금을 조성하기 위해 열렸다.
④ 그곳이 아이를 기르기에 최적의 장소라고 생각하지 않는다.
⑤ 기금을 모금하기 위해 웹 사이트가 개설되었다.

7 인터스텔라와 스타워즈는 science fiction movie의 예가 되므로 예를 나타내는 such as로 고쳐야 한다.
[나는 〈인터스텔라〉와 〈스타워즈〉 같은 공상과학 영화를 좋아한다.]

8 기차가 떠난 시점은 역에 도착한 시점보다 앞서므로 과거보다 앞선 대과거를 나타내는 과거완료형이 되어야 한다.
[내가 역에 도착했을 때 기차는 이미 떠났다.]

Unit 07

25 | At Jurassic World　　p. 70

1 ③　　　　**2** ④　　　　**3** ⑤

4 공룡이 따뜻함을 유지하고 서로를 알아볼 수 있도록 함

| 본문 해석 |

우리는 왜 공룡이 파충류였다고 생각하는가? 공룡은 진짜 파충류였을까? 공룡은 파충류로부터 진화했지만 몇몇 다른 특징들을 발달시켰다. 첫째, 파충류는 사지가 몸 옆에 있지만 공룡은 사지가 몸 아래에 있었다. 이는 공룡이 파충류보다 더 빠르게, 더 오래 달릴 수 있었음을 의미한다. 그 이유는 사지가 옆에 있는 채로 달리면 폐를 압박해 파충류가 쉽게 숨이 차기 때문이다. 그러나 공룡은 달리기와 호흡을 동시에 계속할 수 있었다. 이는 사냥할 때 특히 중요하다.

둘째, 파충류는 냉혈이지만 공룡은 약간 온혈이었다. 따라서 파충류는 아침에 양지에 앉아 몸을 데우는 데 많은 시간을 보내야 한다. 몸이 따뜻해지기 전에, 파충류는 잘 움직일 수 없다. 그래서 그들은 그런 때에 공격에 취약하다. 그러나 공룡의 피는 조금 따뜻해 깨어난 후 더 빨리 돌아다닐 수 있다. 이것이 공룡을 파충류보다 더 성공적이게 만들었다.

마지막으로, 파충류는 피부에 비늘이 있지만 대부분의 공룡은 피부를 덮고 있는 깃털이 있었다. 이런 깃털은 아마도 공룡이 따뜻함을 유지하고 서로를 알아보도록 도왔을 것이다. 깃털의 색깔은 그 공룡이 친구인지 아니면 적인지 알려 줬다. 예를 들어, 과학자들은 동족인 유티라누스가 갖고 있기 때문에 티라노사우루스도 깃털이 있었다고 생각한다.

| 문제 해설 |

1 공룡과 파충류의 다른 점에 대한 내용이므로 ③이 정답이다.

2 공룡은 사지가 몸 아래에 있어서 파충류보다 더 빨리 달릴 수 있다고 했으므로 ④가 정답이다.

3 두 번째 문단은 냉혈동물인 파충류는 깨어난 후 바로 움직일 수 없는 데 반해 온혈동물에 가까운 공룡은 더 빨리 움직일 수 있다고 했다. 따라서 이런 부분에서 공룡이 파충류보다 더 성공적이었다는 ⑤가 정답이다.
① 파충류를 더 쉽게 찾을 수 있게
② 파충류를 포유류와 다르게
③ 공룡이 어린아이들 사이에서 인기 있게
④ 공룡을 공격에 더 취약하게

4 공룡은 깃털이 있었는데 이런 깃털은 공룡이 따뜻함을 유지하고 서로를 알아보는 데 도움이 되었을 것이라고 했다.

| 직독 직해 |

· 공룡은 / 달리기와 호흡을 계속할 수 있었다 / 동시에

· 그들은 / 취약하다 / 공격에 / 그런 때에

· 이런 깃털은 / 아마도 / 도왔을 것이다 / 공룡이 / 따뜻함을 유지하고 / 그리고 / 서로를 알아보도록

---

26 | Symbols for Words　　p. 72

1 ①　　　　**2** ⑤　　　　**3** ③

4 the cuneiform, the hieroglyphics, the alphabet

| 본문 해석 |

문자의 발명은 인간 사회를 진보시켰다. 문자는 사람들이 그들이 하는 것을 기록하고 이를 다른 사람들에게 전하도록 한다. 이는 가장 초기의 문자 체계 사례들에 있어 사실이었다. 그 사례들은 메소포타미아의 설형 문자, 이집트의 상형 문자 그리고 페니키아의 알파벳이다.

메소포타미아인들은 설형 문자로 점토 위에 표기를 했다. 그러나 각각의 기호들이 다르고 기억하기 어려웠다. 이집트 상형 문자도 마찬가지였다. 두 문자 체계 모두 그들 사회의 사업 거래서와 문학, 그리고 정부 문서를 기록했다. 그러나 그 기호들이 복잡했고 수년간 공부되어야만 했다. 오직 전문가들만 읽거나 쓸 수 있었다. 페니키아 알파벳은 달랐는데 소리에 대한 기호가 있어 배우기 쉬웠기 때문이다. 그리고 페니키아인들은 어디를 가든 그들의 알파벳을 썼다. 그들은 그리스를 포함해, 지중해 지역 전역에서 교역을 했다. 그리스인들은 페니키아 알파벳이 매우 유용함을 알게 되었다. 실제로, 그들은 그것을 이용해 자체 알파벳을 만들었다. 대부분의 글자들을 그대로 유지하는 한편, 모음을 추가했다. 그리고 이 그리스 알파벳은 로마인들의 알파벳을 위해 로마인들에 의해 모방되었다. 로마 제국이 유럽 전역으로 퍼져나가면서, 대부분의 유럽 국가들이 로마자에 기초하여 자체 알파벳을 만들었다.

| 문제 해설 |

1 최초의 문자가 어떻게 쓰이게 되었으며 유럽으로 전파되면서 각 나라에 맞게 발달한 과정에 대한 글이다. 따라서 ①이 정답이다.

2 빈칸 뒤에서 수년간 공부해야 하며 오직 전문가들만 읽고 쓸 수 있었다고 했으므로 쉽지 않은 복잡한 것임을 알 수 있다. 따라서 ⑤ complicated(복잡한)가 정답이다.
① 쉬운 ② 분명한 ③ 신선한 ④ 재미있는

3 전문가만이 읽을 수 있었다는 내용은 없으며 배우기 쉽고 페니키아인들이 어디를 가든 쓴다고 했으므로 일반인들도 쓸 수 있는 문자임을 추측할 수 있다. 따라서 ③이 정답이다.

4 초기 문자 사례의 예를 나타내는 것으로 밑줄 친 부분의 다음 문장에서 설형 문자, 상형 문자, 알파벳을 나열하고 있다.

| 직독 직해 |

· 각각의 기호들은 / 다르고 / 어려웠다 / 기억하기에

· 페니키아인들은 / 썼다 / 그들의 알파벳을 / 어디를 가든

· 그들은 / 사용했다 / 그것을 / 만드는 데 / 자체 알파벳을

1 ⑤　　　**2** ②　　　**3** ④

4 stress, fear, trauma

| 본문 해석 |

접촉은 가장 순수한 형태의 의사소통이다. 접촉은 기다란 단어의 나열, 가르침, 명령만큼 쉽게 이해된다. 실제로는 단어가 전혀 필요하지 않은 경우가 많다. 그러나 신체 접촉은 모든 생물의 정신적, 육체적 건강에 필수적이다. 긍정적인 접촉 자극은 모든 동물의 행복과 건강한 발달에 중요하다.

모든 사람들은 사랑스럽고 온화한 방식으로 접촉 받기를 본능적으로 원한다. 부드럽고 진심 어린 접촉은 생리적인 <u>치료 효과를 발휘한다</u>. 즉, 스트레스 호르몬의 방출을 감소시키고 엔도르핀의 흐름을 증가시킨다. 접촉은 행복한 삶에 필수적인 안정감과 행복감을 준다.

그리고 다른 유형의 접촉, 즉 나쁜 종류의 접촉이 있다. 거칠거나 학대하는 접촉은 '싸움 아니면 도주' 반응을 유발한다. 이런 파괴적인 접촉은 스트레스, 두려움, 정신적 충격을 일으킨다. 이는 부정적인 접촉에 대한 부정적인 반응이다. 연구 결과에 따르면, 비행 소년의 대다수는 신체적 접촉이 거의 없거나 전혀 없는 환경, 또는 접촉이 고통스럽고, 거칠고, 잔인한 환경에서 자랐다고 한다. 다음의 사실을 잊어서는 안 된다. 인류는 시각, 청각, 미각, 후각, 물론 촉각까지 다섯 가지 감각을 타고나는 축복을 받았다. 꼭 부드럽고 사랑스러운 접촉이라는 간단한 몸짓으로부터 혜택을 누릴 수 있는 특권을 친구와 가족에게 주도록 해라. 그런 행동에 단점이란 없다. 그것은 모두에게 이로운 선물이다.

| 문제 해설 |

1 신체 접촉이 정신적, 육체적 건강에 필수이며, 신체 접촉으로 인해 행복감을 느낄 수도 있고 반대로 스트레스 등을 느낄 수도 있다고 했다. 따라서 ⑤가 정답이다.

2 밑줄 친 therapeutic(치료에 도움이 되는) 다음에 보면 스트레스 호르몬의 방출을 감소시키고 엔도르핀의 흐름을 증가시킨다고 했으므로 치료와 가장 비슷한 뜻임을 알 수 있다. 따라서 ② healing(치료의)이 정답이다.
① 느끼는 ③ 미소 짓는 ④ 신선한 ⑤ 감동적인

3 접촉의 중요성을 강조하고 있는데 연구 결과를 예로 들면서 비행 소년이 대부분 신체 접촉이 없거나 폭력적인 신체 접촉이 일어났던 환경에서 자랐다고 설명하고 있다. 따라서 ④가 정답이다.

4 파괴적인 접촉으로 인해 스트레스, 두려움, 정신적 충격을 받을 수 있다고 했다.

| 직독 직해 |

• 신체 접촉은 / 필수적이다 / 정신적, 육체적 건강에 / 모든 생물의

• 모든 사람들은 / 본능적으로 / 접촉 받기를 원한다 / 사랑스럽고 온화한 방식으로

• 접촉은 / 준다 / 안정감과 행복감을 / 이 두 가지는 필수적이다 / 행복한 삶을 살기 위해서

---

1 ③　　　**2** ⑤　　　**3** ⑤　　　**4** ④

| 본문 해석 |

벌, 올빼미, 씨앗의 공통점은 무엇인가? 그들은 모두 같은 생태계에서 산다는 것이다. 생태계는 식물과 동물이 살고, 번식하고, 서로 영향을 미치는 특정 환경이다. 생태계는 물웅덩이처럼 작을 수도 있고 브라질의 열대 우림처럼 클 수도 있다.

특정 생태계의 각 구성원마다 생태계의 균형을 유지하기 위한 역할이 있다. 예를 들어, 목초지에서 벌의 역할은 꽃에서 꽃으로 꽃가루를 퍼뜨려서 새 꽃이 자라게 하는 것이다. 풀의 목적은 쥐가 먹도록 씨앗을 제공하는 것이다. 올빼미의 일은 쥐를 잡아먹어서 쥐의 개체 수가 지나치게 증가하지 않게 하는 것이다.

생태계의 또 다른 중요 요소는 기후, 토양의 형태, 물 이용성과 같은 무생물적 요소이다. 로이 클래펌은 1930년에 최초로 생물이 서로 상호 작용하는 방식과 환경과 상호 작용하는 방식을 설명하기 위한 하나의 방법으로 생태계를 생각해 냈다. 생태계는 환경이 바뀌거나 또는 동물이 죽거나 새로운 동물이 태어나게 되면 오랜 기간 동안 서서히 진화할 수 있다. 과학자들이 토끼를 호주로 가져왔을 때 이러한 일이 발생했다. 호주에는 토끼의 천적이 없기 때문에 토끼의 개체 수가 너무 많아져서 토끼들이 풀을 모두 먹어 버렸다. 풀이 사라지자 흙이 날아가 버리기 시작했고, 그 지역은 목초지에서 사막으로 바뀌었다.

| 문제 해설 |

1 생태계의 대한 설명으로 생태계 내에서 어떻게 서로 상호 작용하는지에 대한 내용이다. 따라서 ③이 정답이다.

2 생태계는 서로 밀접하게 연결되어 있는데 과학자가 토끼를 호주로 가져왔을 때 목초지가 사막으로 바뀌었다고 했으므로 인위적인 변화는 큰 재앙을 초래할 수 있음을 알 수 있다. 따라서 ⑤가 정답이다.

3 goal은 '목표, 목적'이라는 뜻이므로 ⑤ purpose(목적)와 의미가 유사하다.
① 원인 ② 결과 ③ 시도 ④ 요구

4 지문의 후반부에서 호주에서 목초지가 사막으로 바뀐 이유로 토끼가 천적이 없어서 수가 증가하고 그 결과 풀을 모두 먹어 버렸기 때문이라고 언급하고 있다. 따라서 ④가 정답이다.

| 직독 직해 |

• 생태계는 / 특정 환경이다 / 식물과 동물이 살고, / 번식하고, / 서로 영향을 미치는

• 그것은 / 일 수 있다 / 물웅덩이처럼 작을 수도 있고 / 또는 / 브라질의 열대 우림처럼 클 수도 있다

• 목적은 / 풀의 / 씨앗을 제공하는 것이다 / 쥐가 먹도록

Review Test (25 ~ 28)
p. 78

1 ④ **2** ②

3 reproduce **4** vulnerable

5 climate **6** ④

7 have → has **8** of turning → to turn

9 Reptiles have to spend many hours sitting in the sun to warm up.

10 Most European countries made their alphabets based on the Roman.

| 문제 해설 |

1 advanced는 '발전시켰다'는 의미로 ④ developed(발전시켰다)가 적절하다.
[우주 탐험은 우주에 대한 지식을 크게 발전시켰다.]
① 뒷받침했다 ② 파괴했다 ③ 발명했다 ⑤ 형성했다

2 triggered는 '발생시켰다'는 의미로 ② caused(발생시켰다)가 적절하다.
[걸프 전은 이라크의 쿠웨이트 침공으로 인해 일어났다.]
① 막았다 ③ 악화됐다 ④ 협상했다 ⑤ 동의했다

[3~5]

| **보기**| 취약한 전문적인 번식하다 기후 확인하다 |

3 많은 식물들이 씨를 통해 번식한다.

4 이 플라스틱 용기는 열에 약하다.

5 이 나라의 기후는 커피 나무를 재배하는 데 이상적이다.

6 ④의 Whether는 '~이든 말든'이라는 의미의 양보 부사절을 이끄는 접속사이다. 나머지는 간접의문문을 이끄는 명사절 접속사이다.
① 그는 나에게 축구팀에 가입할 것인지 물어보았다.
② 그가 초대되었는지 알고 있니?
③ 당신이 오고 싶은지 궁금합니다.
④ 믿거나 말거나 그의 이야기는 사실이다.
⑤ 내가 머물러야 할지 말지 확신이 안 선다.

7 each는 단수 취급하므로 단수 동사형인 has로 고쳐야 한다.
[팀의 각 멤버들은 다른 역할이 있다.]

8 '반드시 ~해라'라는 의미로 [be sure to부정사]가 쓰인다. be sure of는 '~를 확신하다'는 의미로 쓰인다.
[나가기 전에 반드시 모든 불을 끄도록 해라.]

Unit 08

29 | All in the Mind
p. 80

1 ④ **2** ④ **3** ② **4** ④

| 본문 해석 |

정신 건강은 우리가 새로운 것을 배우고 감정을 다스릴 수 있게 한다. 건전한 정신 건강으로 우리는 또한 다른 사람들과 좋은 관계를 형성하고 유지할 수 있다. 그리고 변화에도 대처할 수 있다. 이런 모든 능력들은 잘 살며 제대로 일하기 위해 필요하다. 따라서 정신 건강은 대개 모든 건강의 기초가 된다.

정신 건강에 있어 하나의 중요한 측면은 스트레스를 관리하는 것이다. 그저 스트레스에 관해 생각하는 것만으로도 스트레스가 될 수 있다. 스트레스는 어떤 요구나 압박 또는 좌절감에 대한 뇌의 반응이다. 뇌에 작용하는 스트레스의 일반적인 원인은 변화이다. 우리 모두는 제대로 활동하기 위해서 약간의 긍정적인 스트레스가 필요하다. 그러나 스트레스가 견디기 힘든 정도가 되면 우리의 정신과 육체 건강을 해칠 수 있다. 그것은 소화 장애, 수면 문제, 그리고 면역력 저하를 일으킬 수 있다. 다시 말해, 우리의 기분과 관계, 그리고 우리의 삶의 질을 손상시킬 수 있다.

우리는 스스로를 잘 돌봄으로써 건전한 정신 건강을 유지할 수 있다. 운동은 우리 뇌에서 건강에 좋은 화학 물질을 분비하는 데 있어 중요하다. 충분한 휴식과 수면, 그리고 건강식을 먹는 것은 정신적으로 더 기분 좋게 하는 데 도움이 될 수 있다. 친구와 가족과 연락하며 지내는 것 또한 정신 건강에 중요하다. 무엇보다도, 스트레스를 줄이려는 의지가 건전한 정신 건강을 유지하기 위한 비결이다.

| 문제 해설 |

1 정신 건강에 있어서 스트레스를 줄이는 것이 무엇보다 가장 중요하다고 했으므로 ④가 정답이다.

2 적절한 접속부사를 골라야 하는데 빈칸 뒤에서 앞서 나온 내용을 다시 설명하고 있으므로 '다시 말해'라는 뜻의 ④가 정답이다.
① 그러나 ② 그렇지 않으면 ③ 그런데 ⑤ 반면에

3 정신 건강을 유지할 수 있는 방법으로 여행에 대해서는 언급하지 않았다. 따라서 ②가 정답이다.

4 어느 정도의 스트레스가 필요하다는 것은 스트레스의 긍정적인 측면이다. 그러나 이 스트레스가 지나치면 해롭다는 내용이 이 다음에 이어져야 하므로 ④가 정답이다.

| 직독 직해 |

• 정신 건강은 / 기초가 된다 / 모든 건강의 / 대개

• 우리는 / 유지할 수 있다 / 건전한 정신 건강을 / 스스로를 잘 돌봄으로써

• 의지가 / 스트레스를 줄이려는 / 비결이다 / 건전한 정신 건강을 유지하기 위한

1 ①   **2** ⑤   **3** ⑤

4 예수 그리스도의 탄생지였기에 때문에

| 본문 해석 |

십자군 원정에서 유럽 기독교 병사들은 이슬람 군대와 싸웠다. 십자군은 전쟁에 대해 강한 종교적 동기를 갖고 있었다. 예루살렘은 예수 그리스도의 탄생지였기에 그곳은 기독교에 있어 매우 중요한 곳이었다. 그리고 그곳은 원래 기독교도였던 로마 제국의 일부였다. 그러나 7세기에 그곳은 이집트, 북아프리카와 함께 이슬람 군대에 의해 정복당했다. 십자군은 예루살렘을 탈환하기를 원했다.

제1차 십자군 원정은 1095년에 콘스탄티노플의 황제가 도움을 요청했기 때문에 시작되었다. 그는 그의 도시가 이슬람 군대에 의해 위협을 받는다고 생각했다. 그는 서유럽으로부터 군사 지원을 요청했다. 이에 응해, 로마 교황이 동료 기독교 도시를 지키기 위해 십자군을 소집했다. 이 제1차 십자군 원정은 성공해서 예루살렘을 포함해 중동의 일부 도시들까지 탈환했다. (예루살렘은 유럽에서 너무 멀리 떨어졌다고 생각되었다.)

하지만 이 첫 성공으로 인해 이슬람 국가들이 성전을 원하게 되었다. 1144년에 그들은 제1차 십자군 원정으로 인해 빼앗겼던 도시들 중 하나를 탈환했다. 이것이 즉각 제2차 십자군 원정으로 이어졌는데 이는 십자군의 패배로 끝났다. 예루살렘이 이슬람 국가들에 의해 탈환되었을 때, 제3차 십자군 원정이 시작되었지만, 평화 협정만 했을 뿐 승리 없이 끝났다. 제4차 십자군 원정은 이슬람 군대와의 싸움이 아니라 콘스탄티노플과의 싸움이 되었다. 소규모의 십자군 원정이 수세기 동안 계속되었지만 예루살렘은 이슬람 국가들의 수중에 남아 있다.

| 문제 해설 |

1 첫 번째 문단에서 십자군 전쟁이 발생하게 된 배경으로 예루살렘을 차지하기 위한 것임을 언급했으므로 ①이 정답이다.

2 마지막 문장에서 예루살렘은 여전히 이슬람 국가의 수중에 있다고 했으므로 결국 차지하지 못했음을 알 수 있다. 따라서 ⑤가 정답이다.

3 예루살렘은 유럽에서 너무 멀리 떨어져 있다고 생각되었다는 것은 지문의 흐름과 관계없는 문장이다. 따라서 ⑤가 정답이다.

4 첫 번째 문단에서 예루살렘은 예수 그리스도의 출생지였기 때문에 이를 두고 서로 차지하기 위해 전쟁이 시작되었다고 했다.

| 직독 직해 |

· 그곳은 / 원래는 로마 제국의 일부였다 / 기독교도였던

· 그는 / 느꼈다 / 그의 도시가 위협을 받는다고 / 이슬람 군대에 의해

· 이 첫 성공은 / 이슬람 국가들이 하게 했다 / 성전을 요구하도록

---

1 ①   **2** ②   **3** ②

4 더욱 많은 관광객을 끌어들이기 위해

| 본문 해석 |

오늘 휴가를 떠날 수 있다면 무엇을 보러 가겠는가? 바다로 수영하러 가겠는가? 유명한 박물관에 가겠는가? 사람들은 여러 가지 놀라운 것들을 보기 위해서 여행을 한다. 하지만 사람들이 지금 보기 위해 여행하는 놀라운 것은 바로 호박이다.

매년 10월이 되면 수천 명의 사람들이 세계 최대의 호박에 경의를 표하기 위해 미국 서해안 여기저기에서 모여든다. 축제는 무거운 호박 세계 챔피언 대회로 시작된다. 수백 명에 이르는 경쟁자들이 1천 파운드가 넘는 호박을 가지고 도착한다! 그러면 사람들은 어떤 호박이 가장 무거운지 알아보기 위해 모든 호박의 무게를 잰다. 대회를 지켜보는 사람들은 몹시 흥분한다! 우승자는 파운드 당 6달러를 상금으로 받는데 올해의 우승자는 오리건 주에 사는 사드 스타 씨였다. 그가 재배한 호박의 무게는 1천 524파운드(690킬로그램)로 신기록이었다. 그것은 놀라웠고 그는 9천 달러 이상을 상금으로 받았다!

축제는 샌프란시스코 남쪽 캘리포니아 해안에 자리한 작은 마을인 하프 문 베이에 더욱 많은 관광객을 끌어들이기 위해 1971년에 시작되었다. 활기 없는 마을에는 활력을 불어넣을 무언가가 필요했다. 그래서 지역 관리들은 지역 농부들이 매년 호박을 재배하기 때문에 호박 축제를 시작하기로 결정했다. 심지어 단순히 재미를 위해 호박 미인 대회를 추가했다. 가장 멋진 호박이 500달러를 가지고 가는 것이다. 야채가 벌어들이기에는 꽤나 괜찮은 금액이다!

| 문제 해설 |

1 호박 축제는 호박의 무게를 재는 축제고 호박을 재배하는 농부들이 참가하는 것이다. 따라서 ①이 정답이다.

2 지역 농부들이 매년 호박을 재배하기 때문에 호박 축제를 시작하기로 결정한 것이므로 빈칸 뒤의 내용은 원인에 해당한다. '~ 때문에'라는 뜻의 since가 적절하다. 따라서 ②가 정답이다.
　　① ~인 것처럼 ③ ~일지라도 ④ 그러나 ⑤ ~ 때문에

3 호박을 판매하는 것이 아니라 대회에 참가해서 무게를 재는 것이다. 따라서 ②가 정답이다.

4 후반부에 축제가 시작된 배경에 대한 설명이 나온다. 작은 마을인 하프 문 베이가 더욱 많은 관광객을 끌어들이기 위해 축제를 시작했음을 알 수 있다.

| 직독 직해 |

· 그들은 / 무게를 잰다 / 모든 것의 / 알아보기 위해 / 어떤 호박이 가장 무거운지

· 활기 없는 마을에는 / 필요했다 / 무언가가 / 활력을 불어넣을

· 그들은 / 심지어 / 추가했다 / 호박 미인 대회를 / 단순히 재미를 위해

1 ①   **2** ②   **3** ②
4 retired, full-time

1 ③   **2** ①
3 overwhelming   **4** conquered   **5** living
6 ①   **7** I → me 또는 my
8 didn't → wouldn't
9 Staying in touch with friends and family is important for mental health.
10 The festival started in 1971 as a way to attract more tourists.

| 본문 해석 |

대부분의 사람들은 사무실이나 제조 공장으로 일하러 가지만, 스티브는 그렇지 않다. 스티브의 사무실은 산호초, 열대어, 그리고 많은 물로 이루어져 있다. 그는 일반적인 사무실에 어울리는 정장과 넥타이를 착용하고 가지 않는다. 대신에 스티브는 매일 출근하기 위해 잠수복을 입고 산소통을 메고 깊은 바닷속을 헤엄친다. 스티브는 대부분의 사람들과 다르다. 그의 직업 또한 다르다. 스티브는 스쿠버 다이빙 강사로 생계를 유지한다. 그가 다이빙에 매료되기 시작한 것은 오래 전에 그의 가족이 휴가차 스쿠버 다이빙을 하러 갔을 때부터였다. 바닷속에 있으면 마치 또 다른 세계에 있는 것 같았다. 그는 열대어와 뱀상어 사이를 헤엄칠 때 자유와 흥분을 느꼈다.

스티브는 살아온 삶의 대부분을 경찰관으로 보냈다. 그는 여가 시간에 스쿠버 다이빙을 했다. 후에 그는 영국에서 경찰직을 은퇴하고 인도네시아로 이사해서 풀타임 스쿠버 다이빙 강사가 되기 위해 두 달 동안 교육을 받았다. 현재 그는 자격증을 취득하였으며, 다이빙 여행에 누구라도 안내할 수 있다. 스티브는 매주 세계 곳곳에서 온 사람들을 만나 자신의 새 사무실인 바다로 안내한다. 그가 유일하게 후회하는 것은 훨씬 더 젊었을 때 이 새로운 직업을 시작하지 않았다는 것이다.

| 문제 해설 |

1 원래 경찰이었지만 은퇴 후 스쿠버 다이빙 강사가 된 스티브에 대한 내용이므로 '스티브의 새로운 직업'이라는 ①이 정답이다.
② 열대어와 수영하기
③ 인기 있는 스포츠인 스쿠버 다이빙
④ 일부 경찰관이 스쿠버 다이버가 되는 이유
⑤ 스쿠버 다이빙 강사가 되는 과정

2 첫 번째 빈칸에는 뒤에 직업을 뜻하는 명사가 왔기 때문에 자격을 나타내는 as가 적절하며 두 번째 빈칸에는 헤엄칠 때라는 시간을 나타내므로 '~할 때'라는 as가 적절하다. 따라서 ②가 정답이다.
① ~에 의해 ③ ~를 위하여 ④ ~ 후에 ⑤ ~ 이래로

3 스티브가 스쿠버 다이빙에 매료된 것은 휴가차 스쿠버 다이빙을 하러 갔을 때부터이다. 주변의 권유로 강사가 되었다는 내용은 없으므로 ②가 정답이다.

4 '은퇴'하기 전에는 경찰관이었으며 지금은 '풀타임' 강사가 되었다는 내용이다.

| 직독 직해 |

• 그는 / 입지 않는다 / 정장과 넥타이를 / 일반적인 사무실에 어울리는
• 바닷속에 있는 것은 / 였다 / 또 다른 세계에 있는 것과 같은
• 그는 자격증을 취득했다 / 그리고 / 누구라도 안내할 수 있다 / 다이빙 여행에

| 문제 해설 |

1 defend는 '방어하다'는 의미로 ③ attack(공격하다)이 반대말이 된다.
[그들은 자신들의 나라를 지키기 위해 최선을 다했다.]
① 복수하다 ② 양보하다 ④ 잃다 ⑤ 지키다

2 sleepy는 '생기 없는'이라는 의미로 ① active(활발한)가 반대말이 된다.
[이 생기 없는 마을에서는 특별한 일이 없다.]
② 슬픈 ③ 화가 난 ④ 심각한 ⑤ 차가운

[3~5]

|보기|	멋진	압도적인	생계	정복했다	제조의

3 그는 직장으로부터 <u>압도적인</u> 스트레스를 겪고 있다.
4 몽골 제국은 아시아 지역과 동유럽의 대부분을 <u>정복했다</u>.
5 그녀는 작가로 일하면서 <u>생계</u>를 유지한다.
6 ①의 swimming은 현재분사인 반면 나머지는 동명사로 쓰였다.
① 그는 풀장에서 수영하는 중이다.
② 나는 호수에서 수영하는 것을 좋아한다.
③ 강에서 수영하는 것은 위험하다.
④ 풀장에서 수영하는 것은 어떠니?
⑤ 내 취미는 수영이다.
7 동명사의 의미상의 주어는 목적격 또는 소유격으로 나타낸다.
[물어봐도 실례가 되지 않는다면 나이는 어떻게 되시나요?]
8 가정법 과거의 주절의 동사는 [would/might/could … + 동사원형] 형태를 취한다. 의미상 wouldn't로 고치는 것이 적절하다.
[내가 너라면 그런 실수는 저지르지 않을 것이다.]

Unit 09

33 | The Languages of Luxembourg   p. 90

1 ②   **2** ③   **3** ③

4 Half their time is spent learning languages.

| 본문 해석 |

룩셈부르크에 대해 들어 본 적이 있는가? 유럽에서 가장 인구가 적은 나라 중 하나이지만 이 작은 나라가 룩셈부르크어와 프랑스어, 독일어 이렇게 세 개의 공식 언어를 쓴다는 사실을 알게 된다면 놀랄 것이다. 주된 이유는 이 작은 나라가 프랑스와 독일 사이에 있기 때문이다. 이런 더 큰 이웃 나라들과의 이주와 교역은 늘 활발했었다. 그리고 룩셈부르크는 작은 나라이기 때문에 이 세 언어 모두 나라와 학교, 사회의 모든 곳에서 사용된다.

룩셈부르크의 학교는 세 언어를 모두 쓴다. 유치원과 초등학교에서는 우선 룩셈부르크어를 쓴다. 그런 다음 학생들은 여섯 살부터 독일어를, 일곱 살부터 프랑스어를 공부한다. 고등학생들은 프랑스어로 가르침을 받는다. 고등학생들은 또한 영어, 라틴어, 스페인어 혹은 이탈리아어를 공부할 수 있다. (그들 시간의 절반을 언어 학습에 보내는 것이다.) 그 나라의 주요 대학인 룩셈부르크 대학에서는 프랑스어와 독일어 그리고 영어로 가르친다.

사회에서도 세 공식 언어를 모두 쓴다. 룩셈부르크어는 룩셈부르크 사람들이 서로 말을 할 때 쓰는 언어이다. 그러나 그것은 구어(口語)이지 대중적인 문어(文語)는 아니다. 정부의 주된 언어는 프랑스어이다. 의회 의원들은 룩셈부르크어로 서로 논의할 수 있지만, 기록된 문서들은 모두 프랑스어다. 그리고 미디어는 독일어나 프랑스어를 쓴다.

| 문제 해설 |

1 일상적으로 말할 때 주로 쓰는 언어는 룩셈부르크어라고 했다. 따라서 ②가 정답이다.

2 빈칸 뒤에 and가 있고 not a popular written language라고 했으므로 written language의 상반되는 ③ spoken(말해지는)이 적절하다.
① 드문 ② 유용한 ④ 흔한 ⑤ 비공식적인

3 룩셈부르크는 독일과 프랑스 사이에 인접해 있는 작은 나라인데 이 나라들과 이주, 교역이 활발했다고 했다. 따라서 ③이 정답이다.

4 [Half (of) 명사]는 '~의 반'이라는 뜻으로 여기서는 주어가 될 수 있다. 주어가 Half their time이므로 다음에는 수동태로 is spent가 와야 한다.

| 직독 직해 |

• 주된 이유는 / 때문이다 / 이 작은 나라가 / 있다 / 프랑스와 독일 사이에

• 세 언어 모두 / 사용된다 / 나라의 모든 곳에서

• 룩셈부르크어는 / 언어이다 / 룩셈부르크 사람들이 쓰는 / 서로 말을 할 때

34 | Chocolate for the Soul   p. 92

1 ⑤   **2** ⑤   **3** ③

4 혈압을 낮추고, 암을 예방한다.

| 본문 해석 |

초콜릿이 얼마나 오래되었다고 생각하는가? 초콜릿이 남아메리카에서 3천 년 이상 재배되어 왔다는 것을 알게 된다면 놀랄 것인가? 초콜릿은 카카오 콩으로 만들어진다. 아즈텍인들은 최소 3천 년 전에 카카오를 재배해 이것으로 음료를 만들었다.

약 300여 년 전 스페인 사람들이 남아메리카에서 본국으로 초콜릿을 가져오기 전까지 유럽에서 초콜릿은 유행하지 않았다. 초콜릿은 너무 비싸서 왕족이나 매우 부유한 가정만이 먹을 수 있었다. 또한 당시의 초콜릿은 오늘날 우리가 먹는 초콜릿과는 약간 달랐다. 진짜 초콜릿은 커피처럼 쓴맛이 나지만, 현대의 초콜릿에는 설탕이 많이 들어 있다.

많은 의사들은 초콜릿이 혈압을 낮추기 때문에 초콜릿을 먹는 것이 건강에 좋다고 말한다. 심지어 어떤 의사들은 초콜릿이 암 예방을 돕는다고 제안한다. 하지만, 현대의 초콜릿에는 설탕이 많이 들어 있어서 지나치게 많이 먹으면 체중이 늘어나거나 질병에 걸릴 위험이 있다.

초콜릿은 사람들이 생일, 크리스마스, 밸런타인데이처럼 특별한 날에 받고 싶어 하는 가장 인기 있는 선물 중 하나이다. 미국인들은 초콜릿을 매우 좋아해서 평균적으로 연간 11파운드(약 5킬로그램)를 먹는다. 하지만 초콜릿을 가장 많이 먹는 스위스인들은 미국인의 두 배, 즉 연간 22파운드(약 10킬로그램)를 소비한다.

| 문제 해설 |

1 처음 초콜릿이 생겨난 배경과 현재 우리가 먹는 초콜릿까지 설명하는 글이므로 ⑤가 정답이다.
① 초콜릿이 주는 건강상의 이점들
② 아즈텍인들이 초콜릿을 재배한 방법
③ 설탕이 초콜릿 산업을 살린 방법
④ 스페인 사람들과 그들의 초콜릿 사랑
⑤ 초콜릿에 대한 역사적 정보와 현재 정보

2 '~로 만들어지다'라는 뜻일 때 come은 from과 함께 쓰인다. different 역시 from과 함께 쓰여 '~과 다르다'는 뜻이 된다. 따라서 ⑤가 정답이다.
① ~로 ② ~의 ③ ~에 의해 ④ ~를 위하여

3 우리가 현재 먹는 초콜릿은 설탕이 함유되어 있지만 진짜 초콜릿은 커피처럼 약간 쓴맛이 난다고 했다. 따라서 ③이 정답이다.

4 많은 의사들이 초콜릿이 건강에 좋은 이유로 혈압을 낮추고 암을 예방한다는 점을 말하고 있다.

| 직독 직해 |

• 그것은 / 너무 비싸서 / 왕족이나 매우 부유한 가정만이 / 먹을 수 있었다

• 많은 의사들은 / 말한다 / 초콜릿을 먹는 것이 / 건강에 좋다고 / 왜냐하면 / 초콜릿이 / 낮춘다 / 혈압을

• 초콜릿은 / 가장 인기 있는 선물 중 하나이다 / 사람들이 / 받고 싶어 하는

35 | The Fate of the Arctic　　　p. 94

1 ③　　　2 ④　　　3 ②

4 해빙이 점차 줄어드는 것

| 본문 해석 |

북극 지방은 지구의 북극 주위에 있는 지역이다. 북극 지방은 남극 주위에 있는 남극 지방의 정반대 방향에 있다. 남극 지방과는 달리 북극 지방의 많은 부분은 얼음이 뒤덮인 바다로 이루어져 있다. 북극 지방은 북극해와 캐나다, 그린란드, 러시아, 알래스카의 일부를 포함한다. 북극 지방은 상당히 춥다. 겨울 평균 기온은 영하 40℃까지 낮아질 수 있으며, 기록된 가장 낮은 기온은 대략 영하 68℃이다.

그럼에도 불구하고 북극 지방은 얼음 속에 살고 있는 유기체와 물고기, 바다에 사는 해양 포유류를 포함한 생명체가 풍부한 생태계이다. 또한 새와 늑대, 카리부(북미산 순록), 북극곰과 같은 육지 동물도 있다. 북극 지방에 서식하는 동물의 한 가지 공통적인 특징은 동물들이 두꺼운 털, 또는 별도의 두꺼운 지방층으로 덮여 있거나 두 가지 모두로 덮여 있다는 것이다. 또한 북극 지방에는 원유와 가스 같은 천연자원이 많다.

지난 수십 년에 걸쳐 일련의 이상한 변화가 북극 지방에 일어나고 있다. 북극 지방의 기온이 따뜻해짐에 따라 해빙이 꾸준히 감소하고 있다. 과학자들은 북극 지방의 이러한 변화가 생태계, 야생 생물, 인간의 주거지, 토착민의 삶의 방식에 영향을 미치고 있다고 말한다. 머지않아 우리는 얼음 위에 서 있는 북극곰이나 물고기를 사냥하는 이누이트족을 보지 못하게 될지도 모른다.

| 문제 해설 |

1 처음에는 북극 지방에 대해 설명하다가 지구 온난화로 인해 변화하는 생태계에 대해 설명하고 있다. 따라서 ③이 정답이다.
　① 변하는 기온과 바다 위의 얼음
　② 북극 지방의 매우 극단적인 기온
　④ 북극 지방에 있는 자원의 중요성
　⑤ 추운 지역에 사는 동물과 기타 생명체

2 머지않아 북극곰을 보지 못하게 될지도 모른다고 했으므로 지구 온난화가 북극곰의 개체 수에 영향을 미쳤음을 알 수 있다. 따라서 ④가 정답이다.

3 수치를 나타내는 온도 앞에 있으므로 '약'이라는 뜻임을 알 수 있다. 따라서 ② about(약)이 정답이다.
　① ~ 위에　③ ~를 향하여　④ ~에 관하여　⑤ ~ 동안 내내

4 바로 다음 문장에서 북극 지방의 기온이 따뜻해짐에 따라 해빙이 점차 감소하고 있다고 했으므로 이것이 이상한 변화임을 알 수 있다.

| 직독 직해 |

• 그것은 / 남극 지방의 정반대 방향에 있다 / 남극 주위에 있는
• 북극 지방에는 / 또한 있다 / 많은 천연자원이 / 원유와 가스 같은
• 머지않아 / 우리는 / 보지 못하게 될지도 모른다 / 북극곰을 / 얼음 위에 서 있는

36 | The Rat Patrol　　　p. 96

1 ①　　　2 ⑤　　　3 ⑤

4 They could be fined $5,000 or spend 60 days in jail.

| 본문 해석 |

쥐는 워낙 생존과 번식에 뛰어나기 때문에 지구상에서 쥐가 없는 곳은 없다고 생각할지도 모르겠다. 하지만 사람들이 쥐가 없는 환경을 만들기 위해 매우 열심히 노력해 온 곳이 지구상에 한 군데 있다.

캐나다의 앨버타 주는 세계에서 쥐가 없는 극소수 지역 중의 하나이다. 앨버타 정부는 1950년에 농부들이 이웃 주인 서스캐처원에서 건너온 쥐의 출몰로 농작물을 잃고 나서 쥐 순찰대를 창설했다. 그들은 경계를 따라 길이 600킬로미터, 폭 30킬로미터의 쥐 통제 구역(RCZ)을 설정하고 쥐의 유입을 막기 위해 수백 명을 고용했다. 쥐 순찰 대원은 쥐로 인한 위협을 막기 위해 매년 수천 군데에 달하는 농장을 조사한다. 그들은 쥐 통제 구역 안에 있는 건초 더미와 농장 건물을 점검하고, 농부들에게 쥐약을 무료로 제공한다. 때때로 그들은 쥐가 아래에 서식하고 있다고 의심되는 건물을 부수기도 한다. (쥐는 사람에게 다양한 종류의 병을 전염시킬 수 있다.)

앨버타는 쥐에 관한 한 무관용 정책을 실시한다. 애완용 쥐를 키우다가 발각된 사람에게는 누구든 5천 달러의 벌금형이 부과되거나 60일간의 구금형이 선고될 수 있다. 앨버타에 거주하는 사람들의 대부분은 한 번도 쥐를 본 적이 없고, 쥐가 어떻게 생겼는지조차 알지 못하는 사람도 많다. 모든 것이 쥐 순찰대 덕택이다.

| 문제 해설 |

1 전 세계에서 유일하게 쥐가 없는 캐나다 앨버타 주에 대한 내용이므로 ①이 정답이다.

2 쥐 통제 구역을 설정하고 수백 명의 사람을 고용했다고는 했지만 이웃 도시와의 사이에 울타리를 쳤다고는 하지 않았다. 따라서 ⑤가 정답이다.

3 쥐가 다양한 종류의 병을 전염시킨다는 것은 쥐의 해로운 점으로 전체적으로 쥐 순찰대가 하는 일에 대한 내용과 관계가 없다. 따라서 ⑤가 정답이다.

4 앨버타 주에는 애완용 쥐를 키우다가 발각된 사람에게 어떤 처벌을 내리는가?
　글의 후반부에 애완용 쥐를 키우다가 발각된 사람은 5천 달러의 벌금형이 부과되거나 60일간의 구금형이 선고될 수 있다고 했다.

| 직독 직해 |

• 한 군데 있다 / 지구상에 / 사람들이 매우 열심히 노력해 온 / 쥐가 없는 환경을 만들기 위해
• 쥐 순찰대 대원은 / 조사한다 / 수천 군데에 달하는 농장을 / 매년 / 쥐로 인한 위협을 막기 위해
• 대부분의 사람들은 / 앨버타에 거주하는 / 쥐를 한 번도 본 적이 없다

1 ⑤	**2** ③	**3** menace
4 teems	**5** suspected	**6** ④

7 isn't no milk → is no milk 또는 isn't any milk

8 seen never → never seen

9 Schools in Luxembourg use all three languages.

10 Eating too much can make you gain weight or be at risk of disease.

| 문제 해설 |

1 consume은 '섭취하다'라는 의미로 ⑤ eat(먹다)가 가장 적절하다.
> [우리는 매일 단백질을 섭취해야 한다.]
> ① 자라다 ② 멈추다 ③ 원하다 ④ 생산하다

2 occur는 '발생하다'라는 의미가 있으므로 ③ happen(발생하다)이 가장 적절하다.
> [또 다른 비슷한 사건이 앞으로 일어날 것이다.]
> ① 보다 ② 잡다 ④ 계획하다 ⑤ 막다

[3~5]

| 보기 | 제안했다   의심했다   거래   위협   가득하다

3 요즘 야생 멧돼지가 동네에 위협이 되고 있다.

4 이 섬은 산호초로 가득하다.

5 경찰은 그녀가 거짓말을 한 전력이 있기 때문에 그녀의 진술을 의심했다.

6 의문사가 있는 간접의문문에서 think, suppose, imagine, guess 등의 동사가 쓰일 때 의문사는 문장 맨 앞에 위치시킨다. ④의 know와 같은 동사는 의문사를 이동시키지 않는다.
> ① 네가 누구라고 생각하니?
> ② 저 건물은 얼마나 오래 되었을 것 같니?
> ③ 100년 후의 이 세상은 어떤 모습이라고 상상하니?
> ④ 그가 왜 프랑스로 떠났는지 알고 있니?
> ⑤ 그녀가 어디 있다고 생각하니?

7 no는 그 자체로 부정의 의미가 있으므로 not을 따로 쓰지 않는다. no는 not ~ any로 고칠 수 있다.
> [냉장고에는 우유가 하나도 없다.]

8 빈도부사는 have와 p.p. 사이에 와야 하기 때문에 have와 seen 사이에 never가 와야 한다.
> [나는 예전에 이런 것을 본 적이 없다.]

Unit 10

37 | Split in the Church   p. 100

1 ②	**2** ②	**3** ⑤

4 죄에 대한 용서를 팔아서 부당하게 돈을 모으는 것

| 본문 해석 |

종교 개혁은 가톨릭교회의 분열이었다. 그것은 개신교라고 부르는 새로운 유형의 기독교를 만들어냈다. 중세 시대에 대부분의 사람들은 읽거나 쓰지 못했다. 오직 가톨릭 수도승들과 신부들만 그럴 수 있었다. 그러나 르네상스 동안 사람들의 교육 수준이 더 높아졌다. 그리고 인쇄기가 성경을 포함해, 새로운 사상들을 퍼뜨렸다. 사람들은 스스로 성경을 읽기 시작했다. 그들은 가톨릭교회가 했던 일들에 의문을 제기하기 시작했다. 예를 들어, 몇몇은 교회가 죄에 대한 용서를 팔아 부당하게 돈을 모으고 있었다고 생각했다. 그 결과가 종교 개혁이었다.

종교 개혁은 몇몇 사람들에 의해 주도되었는데 가장 유명한 사람은 독일의 수도승 마틴 루터였다. 루터는 교황의 정책에 동의하지 않았다. 그는 교회가 죄의 용서에 대한 대가로 돈을 받는 것은 옳지 않다고 생각했다. 그는 교회가 최적의 사람들을 쓰지 않고 그저 권력에 가까운 사람들만 쓴다고 생각했다. 그는 교회가 대출을 해 주고 그것에 대한 이자를 받는 것이 마음에 들지 않았다. 그는 또한 사람들이 그들의 현지 언어로 스스로 성경을 읽도록 장려했다. 당시 가톨릭교회는 대부분의 사람들이 읽지 못하는 라틴어로 된 성경만을 사용했다. 1534년에 그의 독일어 성경은 읽고 쓰는 능력을 크게 높이는 데 공헌했다.

| 문제 해설 |

1 종교 개혁의 발생 배경에 대한 내용이므로 ②가 정답이다.
> ① 성경의 역사
> ③ 가톨릭교회의 새로운 지도자
> ④ 중세 시대가 문화적으로 암흑기였던 이유
> ⑤ 종교 개혁이 가톨릭교회를 종식시킨 방법

2 마틴 루터가 제대로 된 교육을 받지 못했다는 것은 확인할 수 없는 내용이다. 따라서 ②가 정답이다.

3 재귀대명사 자리로 주체가 people이므로 ⑤ themselves가 정답이다. [for + oneself]는 '스스로'라는 뜻이다.

4 the things는 가톨릭교회가 했던 일을 뜻한다. 다음 문장에서 바로 예를 들고 있는데 교회가 죄에 대한 용서를 팔면서 부당하게 돈을 모은다고 했다.

| 직독 직해 |

• 그들은 / 의문을 제기하기 시작했다 / 일들에 대해 / 가톨릭교회가 한

• 그는 / 생각했다 / 교회가 옳지 않다고 / 돈을 받는 것은 / 죄의 용서에 대한 대가로

• 그는 / 마음에 들지 않았다 / 교회가 대출을 해주고 / 그것에 대한 이자를 받는 것이

1 ②   **2** ④   **3** ③

4 염분이 너무 많아서

| 본문 해석 |

사해는 이스라엘과 요르단 사이에 있는 소금 호수이다. 이 호수를 사해라고 부르는 이유는 무엇일까? 사해의 물에는 염분이 매우 많아서 아무것도 살 수가 없다. 실제로 사해의 물은 바닷물보다 거의 아홉 배나 더 많은 염분을 포함하고 있다. 사해에는 바닷물에 적응할 수 있는 소수의 박테리아를 제외하고는 생명체가 없다. 사해의 물은 다른 생명체에게 매우 치명적이다. 강 하류에서 사해로 흘러 들어가는 어떤 물고기라도 곧바로 죽는다. 식물 또한 같은 이유, 즉 높은 염도로 인해 물속에서 자랄 수 없다. 사해는 지구상에서 가장 짠 곳일 뿐만 아니라 가장 낮은 장소이기도 하다. 놀랍게도 사해는 해수면보다 420미터나 낮다.

소금에는 좋은 점도 있다. 이 소금이 관광객을 끌어들이기 때문이다. 관광객들이 사해를 찾는 이유는 사해가 지구상에서 가장 낮은 지점이기도 하지만 물속에 엄청나게 많은 염분을 함유하고 있기 때문이다. 물속에 염분이 많다는 것은 사람들이 물에 더 쉽게 뜰 수 있다는 것을 의미한다. 사람들은 그저 물 위에 둥둥 떠 책을 읽으려고 사해를 찾아온다. 어떤 사람들은 사해의 물이 건강에 좋고 피부에도 좋다고 생각한다.

| 문제 해설 |

1 사해의 온도에 대해서는 언급되어 있지 않다. 따라서 ②가 정답이다.

2 염분으로 인해 물에 쉽게 뜨기 때문에 관광객이 사해를 찾는다고 했지만 관광객이 줄어들고 있는지는 알 수 없다. 따라서 ④가 정답이다.

3 빈칸 다음의 문장에서 사해로 흘러 들어가는 물고기들은 즉시 죽는다고 했으므로 치명적임을 알 수 있다. 따라서 ③ deadly(치명적인)가 정답이다.
① 추운 ② 달콤한 ④ 건강한 ⑤ 기분 좋은

4 지문 초반에 사해에는 바닷물보다 아홉 배나 더 많은 염분을 포함하고 있어서 생물이 살 수 없다고 했다.

| 직독 직해 |

• 염분이 매우 많아서 / 아무것도 살 수 없다 / 사해에서

• 어떤 물고기라도 / 강 하류에서 사해로 흘러 들어가는 / 곧바로 죽는다

• 염분이 많다는 것은 / 물속에 / 의미한다 / 사람들이 물에 더 쉽게 뜰 수 있다는 것을

1 ②   **2** ③   **3** ⑤   **4** ②

| 본문 해석 |

매년 영국의 글로스터에서는 수천 명의 사람들이 치즈 경주에 참가하기 위해 전 세계에서 모여든다. 치즈 경주라고? 그렇다. 전 세계의 각 나라에서 온 사람들이 매우 가파른 언덕 아래로 커다란 치즈를 굴린다. 언덕의 이름은 쿠퍼스 힐이고, 출발선부터 결승선까지의 길이는 90미터이다. 거리는 그다지 큰 난관은 아니다. 진정한 난관은 경사이다. 언덕의 일부 장소는 완전히 수직이다. 누구든 치즈를 통제해서 결승선을 먼저 넘는 사람이 승자가 된다.

남성, 여성, 아이들 모두 경주에 참가한다. 이것은 위험한 행사가 될 수도 있다! 치즈는 시속 112킬로미터까지 구를 수 있고, 일부 참가자들은 발목이 삐는 것부터 골절과 뇌진탕에 이르는 부상을 입는다. 심지어 구경꾼들도 조심해야 한다. 일부 구경꾼들은 행사를 지켜보다가 가파른 언덕에서 미끄러지고 발을 헛디뎌 넘어지면서 부상을 입는다. 때때로 경로를 벗어난 치즈가 구경꾼들 속으로 굴러들어가기도 한다.

대회가 시작된 지는 200년이 넘었지만 대회의 기원을 설명할 수 있는 사람은 없다. 대부분의 사람들은 대회가 이교도의 의식에서 비롯되었거나 로마가 영국을 지배했던 시기에 시작되었다고 생각한다. 대회가 시작된 이유가 무엇인지, 대회를 시작한 사람이 누구인지는 그다지 중요하지 않다. 이 시합은 정말 재미있고, 모든 사람이 즐긴다.

| 문제 해설 |

1 영국에서 열리는 독특한 치즈 경주에 대한 내용이므로 ②가 정답이다.

2 부상을 당한다는 뜻이므로 suffer(당하다)와 뜻이 비슷하다. 따라서 ③이 정답이다.
① 죽이다 ② 느끼다 ④ 조종하다 ⑤ 유지하다

3 경기 참가자들도 부상을 입지만 구경하는 사람들도 부상을 입는다고 했다. 따라서 ⑤가 정답이다.

4 다음 문장에서 이 대회가 어떻게 시작되었는지에 대한 추측이 나오므로 대회가 시작된 지는 200년이 넘었지만 '기원'에 대해서는 알 수 없다는 내용이 적절하다. 따라서 ②가 정답이다.
① 과거 ③ 검토 ④ 위치 ⑤ 모험

| 직독 직해 |

• 수천 명의 사람들이 / 모여든다 / 전 세계에서 / 치즈 경주에 참가하기 위해

• 누구든 / 치즈를 통제해서 / 결승선을 먼저 넘으면 / 승자가 된다

• 그다지 중요하지 않다 / 그것이 시작된 이유가 무엇인지 / 시작한 사람이 누구인지는

40 | The World's Hottest Food　　p. 106

1 ④　　**2** ①　　**3** ④

4 수많은 음식에 풍미를 더하고 매운맛을 낼 수 있는 새로운 고추를 발견해서

| 본문 해석 |

고추는 맵다. 고추는 입을 화끈하게 만들고, 눈에 눈물이 핑 돌게 만든다. 실제로 이 고추는 너무 매워서 경찰이 군중을 통제하기 위한 스프레이로 사용한다. 그러나 대부분의 고추는 좀 더 강한 맛을 내기 위해 스프나 소스에 첨가된다. 그럼 가장 매운 고추는 무엇이고 "매운 맛"은 어떻게 측정할까?

음식의 매운 맛은 1912년에 측정 기구를 발명한 윌버 스코빌의 이름을 따서 지어진 스코빌 척도로 측정된다. 타바스코 고추는 척도로 5만 점이고, 대부분의 사람들은 타바스코 고추가 너무 매워서 먹을 수 없다는 것을 알고 있다. 타이 고추는 10만 점으로 매우 희석된 소스로만 사용된다. 하지만 세계에서 가장 매운 고추는 나가 졸로키아이다. 이 매운 인도산 식물은 스코빌 척도로 100만 점이 넘는다! 기네스북은 2007년에 약 75만 점을 기록해서 두 번째로 매운 고추로 선정된 레드 사비나를 누른 <u>나가 졸로키아 고추</u>를 세계에서 가장 매운 음식으로 선정했다.

나가 졸로키아는 "귀신 고추"란 뜻이다. 사람들이 그렇게 부르는 이유는 나가 졸로키아를 먹으면 너무 매워서 죽을지도 모르기 때문이다. 현지 사람들은 나가 졸로키아를 한 번에 아주 극히 적은 양만 먹는다. 식품 회사들은 고추 한 개만으로도 수많은 음식에 풍미를 더하고 매운맛을 낼 수 있는 새로운 고추의 발견에 흥분하고 있다.

| 문제 해설 |

1 '두 번째로 매운 고추를 누른 것'이 it을 나타내므로 앞에 나온 나가 졸로키아를 나타냄을 알 수 있다. 따라서 ④가 정답이다.
　① 스코빌 척도
　② 타바스코 고추
　③ 레드 사비나 고추
　⑤ 기네스북

2 귀신 고추라 불리며 현지 사람들도 극히 적은 양만 먹는다는 것으로 봤을 때 너무 매워서 죽을지도 모른다는 뜻으로 해석할 수 있다. 따라서 ①이 정답이다.
　② 느끼다　③ 자다　④ 떠나다　⑤ 웃다

3 지문 초반에 고추는 군중을 통제하기 위한 스프레이의 용도로도 사용한다고 언급되어 있다. 따라서 ④가 정답이다.

4 지문 마지막 부분에서 나가 졸로키아라는 새로운 고추를 발견하게 되어 식품 회사들이 흥분하게 되었다고 언급되어 있다.

| 직독 직해 |

- 이 고추는 / 너무 매워서 / 경찰이 사용한다 / 스프레이로
- 기네스북은 / 선정했다 / 이것을 / 세계에서 가장 매운 음식으로 / 2007년에
- 현지 사람들은 / 먹는다 / 이것을 / 아주 극히 적은 양만 / 한 번에

Review Test (37 ~ 40)　　p. 108

1 ③　　**2** ①　　**3** literacy

4 wrongly　　**5** sprained　　**6** ④

7 understanding → understand

8 are from Canada → (who are) from Canada

9 He encouraged people to read the Bible for themselves.

10 It is not only the saltiest place on the earth, but the lowest place as well.

| 문제 해설 |

1 precipitous는 '(경사가) 급한'이라는 의미로 ③ moderate(완만한)가 반대말이 된다.
　[판매가 급격히 하락했다.]
　① 움직이는　② 변화하는　④ 위로　⑤ 가파른

2 floats는 '뜨다'라는 의미로 ① sinks(가라앉다)가 반대말이 된다.
　[기름은 밀도가 상대적으로 낮기 때문에 물에 뜬다.]
　② 던지다　③ 서다　④ 수영하다　⑤ 날다

[3~5]

	보기	삐었다　식자(識字)　흘렀다　부당하게　등급

3 한글은 배우기 쉽기 때문에 한국은 <u>식자(識字)</u>율이 높다.

4 그 소년은 <u>부당하게</u> 도둑으로 몰렸다.

5 그는 돌에 걸려 넘어지면서 발목을 <u>삐었다</u>.

6 ④의 one은 부정대명사인 반면에 반면 나머지는 모두 형용사이다.
　① 1달러만 빌려주시겠어요?
　② 1시에 만나자.
　③ 한 번 더 말씀해 주시겠어요?
　④ 연필이 하나 필요하시다면 여기 하나 있어요.
　⑤ 1~2주 동안 여기서 머물 수 있어요.

7 '너무 ~해서 …할 수 없다'는 뜻은 [too+형용사+to+동사원형]으로 나타내므로 to 다음에는 동사원형이 와야 한다.
　[그 소녀는 너무 어려서 그런 책을 이해할 수 없다.]

8 문장은 have라는 동사가 이미 있으므로 동사 are는 필요 없다. 문맥상 two friends를 수식하는 관계사절로 고치거나 관계대명사와 be동사를 생략한 축약관계사절 형태로 고쳐야 한다.
　[나는 캐나다에서 온 친구가 두 명 있다.]

Workbook
answers

Unit 01

01 A Day for Love

A

1	순교자	7	exchange
2	널리 퍼진	8	gradually
3	손으로 만든	9	clear
4	궁수	10	winged
5	기념하다, 축하하다	11	instantly
6	협회, 단체	12	worldwide

B

1 The history of Valentine's Day is not clear.
2 Exchanging handmade cards had become common.
3 It is one of the biggest holidays in the United States.

C

|보기| 흔한	분명한	수제의	~을 교환하다

Valentine's Day on February 14 is a day for people to exchange gifts with their loved ones. It originated with a Christian martyr named Valentine in Roman times. The holiday originally started with handmade cards but chocolates and flowers are now common.

02 Valleys Made by Glaciers

A

1	빙하	7	waterfall
2	진흙	8	melt
3	~처럼 보이다	9	carve
4	형성되다	10	coast
5	흘러내리다	11	bowl
6	~까지	12	seawater

B

1 Fjords are long and deep rivers of seawater.
2 The floor of it can be like a bowl.
3 A lot of black mud can be found.

C

|보기| 바닷물	빙하들	만들어진	해안

Fjords were created in the last Ice Age when glaciers reached the sea. They are U-shaped on the bottom and filled with seawater. There are two famous examples in Norway which have become UNESCO World Heritage Sites.

03 Importance of Vitamins

A

1	층, 막	7	essential
2	산소	8	nutrient
3	마비	9	absorb
4	작동하다	10	properly
5	면역 체계	11	function
6	유통 기한	12	heart disease

B

1 It is needed for our body to absorb calcium.
2 Not getting enough of a vitamin can have ill effects.
3 Vitamins are important to our health.

C

|보기| 마비	적절한	예방하다	필수적인

Vitamins are needed for the body to grow strong and have a proper immune system. They can help prevent early aging and heart disease. Not eating vitamin B1 can cause paralysis.

04 Animal Whisperers

A

1	여러 가지의	7	talented
2	으르렁거리는 소리	8	visual
3	점점 더	9	communicate
4	어떻게든	10	trainer
5	~을 구성하다	11	individual
6	~을 의존하다	12	indicate

B

1 They can practice communicating in English there.
2 More and more people are moving to the country.
3 Do you want to talk with your pets?

C

|보기| 부상을 입은   생각들   의존하다   의사소통하다

Animals cannot communicate with words but they use sounds, gestures, and even <u>thoughts</u>. Animal whisperers are people who can <u>communicate</u> with animals through thoughts. They can learn from the animal where it has pain or even how they were <u>injured</u>.

Unit 02

05 The Dry Desert

A

1	평균의	7	evidence
2	~을 찾다, 구하다	8	astronomical
3	유일한, 특이한	9	fame
4	대단히, 몹시	10	altitude
5	수행하다, 처리하다	11	useless
6	정보, 결과	12	instrument

B

1 He is three times heavier than the average child.
2 Its average temperature is around fifteen degrees Celsius.
3 The region may be unique on the earth.

C

|보기| 관찰하다   평균의   비   가장 건조한

The Atacama Desert in northern Chile is the <u>driest</u> place on Earth. It is not especially hot but <u>rain</u> may not fall there for centuries. Space scientists use it to practice for Mars or <u>observe</u> the sky.

06 Assistance Dogs

A

1	수행하다	7	rescue
2	속담	8	physical
3	시각적으로	9	blind
4	어루만지다	10	assistance
5	오랫동안	11	disability
6	확인하다	12	a variety of

B

1 Dogs have lived with humans for a long time.
2 The sheep dog helps the farmer move sheep.
3 You have to make sure they are clean.

C

|보기| 보조   유용한   맹인   육체의

Dogs such as sheep dogs have been <u>useful</u> to humans for a long time. They can also be guide dogs for the <u>blind</u> or hearing dogs for the deaf. But it is best not to pet an <u>assistance</u> dog when it is working.

07 Uses for Drones

A

1	상업의	7	basically
2	발견하다, 감지하다	8	accurate
3	군사의	9	rural
4	민간의	10	spray
5	농업의	11	function
6	살충제	12	perform

B

1 Smartphones can perform many useful functions.
2 Bicycles are becoming increasingly common.
3 Weather forecasts are not always accurate.

C

|보기| 나는   시골의   군사의   배달들

Drones are <u>flying</u> robots that can be fun toys. They can also be used by the <u>military</u> for their missions. They are also used in farming or for making <u>deliveries</u>.

08 Predators at Sea

A

1	굵다	7	fatal
2	포식자	8	worldwide
3	오락적인	9	according to
4	종	10	portray
5	잔인한, 지독한	11	commercial
6	할퀴다	12	sensitive

B

1 Only about 4 species of sharks will attack humans.
2 The whale shark is the largest fish in the world.
3 The whale shark is not dangerous at all to humans.

C

People kill a lot more sharks than sharks kill people. Only a very few species of sharks actually attack people. The best way to defend against a shark is to hit it on the nose.

Unit 03

09 Valuable Gold

A

1	순수한	7	precious
2	상업, 통상, 교역	8	shiny
3	통치자	9	element
4	발행하다	10	wealth
5	보석류	11	dense
6	주로, 본래	12	financially

B

1 It has served as a symbol of wealth.
2 The first gold coins were made by Egyptian Pharaohs.
3 They believe that prices will continue to rise.

C

|보기| 재정적으로　　빛나는　　귀중한　　동전들

Gold has been considered a valuable metal and a symbol of wealth for a long time. Coins made of gold were made ever since ancient Egypt. Gold is used today in medicine, in foods, and as a way to gain financially.

10 Mayan Pyramid

A

1	설립하다, 세우다	7	state
2	장소	8	impressive
3	계단	9	temple
4	재건하다, 복원하다	10	represent
5	뱀	11	square
6	태양년	12	structure

B

1 It is included among the Seven Wonders of the New World.
2 It has been reconstructed to its original state.
3 Each stairway has 91 steps.

C

|보기| 불려진　　피라미드　　장소　　하나

The Mexican pyramid at Chichen Itza is a popular tourist spot. It is called El Castillo which means "the castle" in Spanish. El Castillo is one of the Seven Wonders of the New World.

11 An Amazing Architect

A

1	곡선 모양의	7	career
2	건물, 구조물	8	reputation
3	공학자, 기술자	9	architect
4	숙련된, 숙달된	10	creative
5	확실히, 명확히	11	landmark
6	적응시키다	12	historical

B

1 It was the tallest tower in the world.
2 He took a job working for a construction company.
3 He developed a reputation as a creative architect.

C

|보기| 디자인했다　　충격을 줬다　　역사적인　　가장 큰

The Eiffel Tower shocked people when it was built in 1889. It was the tallest tower in the world and had curves to accommodate the wind. The designer Gustave Eiffel also designed the Statue of Liberty in New York.

12 Losing Our Forests

A

1	빠른	7	flood
2	주거지, 안식처	8	soybean
3	치우다, 정리하다	9	cattle
4	방목하다	10	mine
5	이산화탄소	11	stream
6	흡수하다	12	palm tree

B

1 There are many purposes for clearing a forest.
2 Floods will be more common.
3 The amount of deforestation is serious.

C

People clear a forest for getting wood, for farming, or for mining. But deforestation takes away food and shelter for animals, oxygen-producing trees, and rain-absorbing soil. The world is currently experiencing large-scale deforestation.

Unit 04

13 Fine Pottery

A

1	빛나다	7	thin
2	입자	8	sticky
3	도자기	9	clay
4	금속의	10	bake
5	치다	11	export
6	귀하게 여기다	12	ingredient

B

1 The sun is shining through the glass.
2 The floor is made from a special glass.
3 It has been highly prized around the world.

C

| 보기 | 구워진다   끈적거리는   도자기   아름다움

Porcelain is a special type of pottery that lets light shine through. It is baked at a very high temperature and doesn't absorb any water. It has been traded around the world for their quality and beauty.

14 An Annual Event

A

1	찌르다	7	traditional
2	뒤쫓다	8	sharp
3	차려 입다	9	firework
4	뿔	10	participate
5	눌러 부수다	11	costume
6	놓아주다	12	distract

B

1 Dangerous chemicals were released into the air.
2 Bulls stab people with their sharp horns.
3 Since 1910, fourteen people have been killed during the festival.

C

| 보기 | 참석했다   축제   허락했다   매

The Running of the Bulls is a famous festival in Spain. The town of Pamplona has it every July 7th. Bulls are allowed to run through the streets and people run in front of them.

15 Sources of Power

A

1	자동차	7	manage
2	빠르게	8	burn
3	난방	9	globally
4	석유	10	renewable
5	수소	11	solar
6	~을 다 써버리다	12	fossil fuel

B

1 Wood was used as the fuel for heating.
2 Rapidly growing countries started to run out of trees.
3 It has to be mined from underground.

C

| 보기 | 재생 가능한   자원   유용한   비축량

Alternative energy is any new source of power for people to use. It is useful when the usual source is inconvenient for a certain purpose. Coal and petroleum used to be alternative energies but today renewable energies are the alternatives.

16 A Great Contribution

A

1	반증하다	7	contribution
2	천문학	8	switch
3	중세의	9	challenge
4	명석한, 훌륭한	10	contradict
5	계산, 셈	11	revolve
6	격노한, 맹렬한	12	telescope

B

1 These people don't easily fit in with others.
2 He was recognized as a brilliant mathematician.
3 Galileo concluded that the earth revolved around the sun.

C

| |보기| 격노한 | 발견했다 | 공전했다 | 훌륭한 |

Great scientists such as Galileo were not always great at school. But Galileo found that he was <u>brilliant</u> at math and astronomy. He later <u>discovered</u> the moons of Jupiter and that Earth <u>revolved</u> around the Sun.

Unit 05

17 The Other Milk

A

1	액체	7	fat
2	유제품의	8	satisfying
3	유사함	9	squeeze
4	나트륨	10	initial
5	영양분이 많은	11	manually
6	유사	12	distinct

B

1 Coconut milk is made from the flesh of the coconut.
2 I want either tea or coffee.
3 This process can be repeated one or two more times.

C

| |보기| 지방 | 과육 | 액체 | 다른 |

Coconut milk is made from the <u>flesh</u> of the coconut. It is high in magnesium, low in sodium, and low in cholesterol but has saturated <u>fat</u>. Even though coconut milk and animal milk look very much the same, the tastes are completely <u>different</u>.

18 Mystery of the Moon

A

1	충돌	7	theory
2	공전하다	8	gravity
3	먼지	9	satellite
4	동의, 승인	10	natural
5	태양계	11	arise
6	～과 비교해서	12	make sense

B

1 Some animals have large eyes compared to their bodies.
2 Its origin has been a puzzle for hundreds of years.
3 The rocks and dust from this collision formed the Moon.

C

| |보기| 중력 | 기원 | 자연적인 | 충돌 |

The <u>origin</u> of the Moon has been a mystery for hundreds of years. People used to think the Moon was captured by Earth's <u>gravity</u>. Now scientists think it came from a <u>collision</u> between Earth and another planet.

19 The Benefits of Zoos

A

1	외래의	7	wildlife
2	멸종 위기에 처한	8	conservation
3	사육하다, 기르다	9	informative
4	외관, 외양	10	extinct
5	서식지	11	organization
6	착실하게, 끊임없이	12	population

B

1 Zoos are wonderful places to see wildlife.
2 A school field trip was just for fun.
3 You seem to be a little sick today.

C

| |보기| 이국적인 | 보내다 | 보호하다 | 교육적인 |

Zoos are nice places for <u>spending</u> time with others. Now zoos have become more <u>educated</u> places good for school trips. They also <u>protect</u> wild animals and let scientists study them.

20 Circle of Stones

A

1	숭배, 존경	7	transport
2	허락하다	8	add
3	결합, 배합	9	origin
4	기념물	10	mysterious
5	종교의, 신성한	11	structure
6	똑바로 선, 직립의	12	ship

B

1 There are many mysterious structures from the ancient world.
2 These boxes were shipped from abroad.
3 Nobody knows for sure the exact purpose.

C

|보기| 운송된	종교	더하다	원

Stonehenge is an ancient <u>circle</u> of stones in England built thousands of years ago. It is a mystery how the heavy stones were <u>transported</u> to their present location. Some think stonehenge was used for <u>religion</u> or as a calendar.

Unit 06

21 Fatty Fruit

A

1	자주색의	7	nickname
2	전반적으로	8	smooth
3	원산의	9	fiber
4	혈당	10	lead
5	낮추다	11	variety
6	영양분이 많은	12	light

B

1 It can be either bumpy or smooth.
2 This is a large amount of fat for a fruit.
3 It is the good kind of fat everyone needs.

C

|보기| 원산의	얻다	건강한	크림 같은

The avocado is <u>native</u> to Mexico and South America. The skin can be green or purple and the flesh is light green and <u>creamy</u>. It has a lot of <u>healthy</u> fat and lots of fiber.

22 Real Live Vampires

A

1	원천, 근원	7	mammal
2	밤의, 야간의	8	host
3	전염	9	region
4	~의 위험에	10	vampire
5	기어가다	11	creature
6	~와 마주치다	12	unlikely

B

1 Do you know what the problem is?
2 Their usual sources of food are horses.
3 The girl was strong enough to go alone.

C

|보기| 희생자들	피	감염	포유류

The vampire bat actually drinks the <u>blood</u> of other animals like horses or cows. It usually comes out at night and doesn't harm its <u>victims</u> much. But they could harm other animals through <u>infection</u> and disease.

23 Flies Across

A

1	사라짐, 실종	7	present
2	이륙하다	8	reality
3	비행사, 조종사	9	pioneer
4	난파 잔해, 파편	10	rescue
5	무서워하지 않는	11	launch
6	탐험가	12	crash

B

1 His wish became a reality.
2 The U.S. president presented her with a gold medal.
3 She wanted to be the first woman to fly around the world.

C

|보기| 잃은	유명한	두려움이 없는	건너다

Amelia Earhart was one of the most <u>famous</u> of the early female pilots in the 1920s. She was the first female pilot to <u>cross</u> the Atlantic Ocean. However, she was <u>lost</u> during her attempt to fly around the world.

24 The First Plant

A

1	이끼	7	moisture
2	바꾸다, 전환하다	8	tight
3	촉촉한	9	pioneer
4	그늘진	10	preferred
5	침식, 부식	11	store
6	～에 적응하다	12	underestimate

B

1 They adapted to living outside of the waters.
2 It is a good place to live for small animals.
3 This method will help prevent diseases from spreading.

C

|보기|	빽빽한	전환하다	침식	진화했다

Moss <u>evolved</u> from ocean algae and came to live on land half a billion years ago. They use photosynthesis to <u>convert</u> sunlight into energy. They also provide homes for insects and worms as well as prevent <u>erosion</u> of the soil.

Unit 07

25 At Jurassic World

A

1	확인하다	7	characteristic
2	파충류	8	relative
3	비늘	9	feather
4	약간	10	develop
5	냉혈의	11	squeeze
6	동시에	12	vulnerable

B

1 Ostriches can run faster than lions.
2 This is especially important when hunting.
3 I couldn't tell if I was awake or dreaming.

C

|보기|	깃털들	파충류들	사지	비늘

Dinosaurs came from <u>reptiles</u> but they developed some important differences. They had <u>limbs</u> below their bodies and were warm-blooded. They also had <u>feathers</u> instead of scales for identifying themselves.

26 Symbols for Words

A

1	거래, 거래서	7	literature
2	보기, 사례	8	letter
3	복사하다, 모방하다	9	invention
4	모음의	10	record
5	점토	11	professional
6	～에 기초해서	12	advance

B

1 The invention of agriculture has advanced human society.
2 They found the alphabet very useful.
3 The movie were made based on the famous myth.

C

|보기|	발전시켰다	더 쉬운	가장 이른	기록했다

The <u>earliest</u> writing systems were the cuneiform of Mesopotamia and the hieroglyphics of Egypt. They <u>recorded</u> business deals, literature, and government records but were difficult to use. The Phoenician alphabet was much <u>easier</u> and was copied by Greece and Rome.

27 Physical Communication

A

1	중요한, 중대한	7	mankind
2	명령, 지시	8	essential
3	유발하다	9	flow
4	거친, 난폭한	10	flight
5	잔인한, 난폭한	11	privilege
6	쉽게, 선뜻	12	stimulation

B

1 Touch is the purest form of communication.
2 Cell phones are often not necessary at all.
3 It reduces the release of stress hormones.

C

|보기|	거친	필수적인	일으키다	스트레스

Touch is both a form of communication and an <u>essential</u> part of health. It is therapeutic and reduces <u>stress</u> while increasing endorphins. But some forms of touch can <u>create</u> stress, fear, or trauma.

28 A Living Community

A

1 웅덩이
2 번식하다, 재생하다
3 균형을 이루다
4 생태계
5 상호 작용하다
6 이용도, 유용성

7 climate
8 rainforest
9 particular
10 population
11 environment
12 evolve

B

1 It can be as small as a puddle.
2 The role of bees is to spread pollen.
3 The area changed from grassland to a desert.

C

| 보기 | 상호 작용하다   균형   기후   환경 |

An ecosystem is the <u>environment</u> where plants and animals live. Each part of an ecosystem plays a part in keeping it in <u>balance</u>. Non-living things such as <u>climate</u>, soil, and water are also a part of an ecosystem.

Unit 08

29 All in the Mind

A

1 기초, 기본
2 측면
3 좌절
4 유지하다
5 소화의
6 무엇보다도

7 mental
8 pressure
9 demand
10 manage
11 release
12 key

B

1 We can maintain good relationships with others.
2 All of these skills are necessary for living well.
3 One important aspect of mental health is managing stress.

C

| 보기 | 면역력   운동하다   기본   유지하다 |

Mental health allows us to manage our emotions and <u>maintain</u> good relationships. It can manage stress which can damage our <u>immunity</u> and cause sleep problems. We must rest enough but also eat well and <u>excercise</u> to have good mental health.

30 Fighting for Religion

A

1 도움
2 출생지
3 위협하다
4 황제
5 요청하다
6 ~의 수중에

7 conquer
8 motivation
9 defend
10 originally
11 retake
12 fellow

B

1 She had a strong motivation to change her habits.
2 He requested aid from Western Europe.
3 The result is in the hands of the committee.

C

| 보기 | 성공하지 못한   싸웠다   탈환하다   군사의 |

The Crusades were wars <u>fought</u> by Christian soldiers against Islamic states. There was a series of them starting from 1095. One goal was to <u>retake</u> Jerusalem but they were largely <u>unsuccessful</u>.

31 Pumpkin Festival

A

1 경의, 존경
2 축제, 제전
3 경쟁, 경연
4 활기를 띠게 하다
5 재미 삼아
6 휴가를 떠나다

7 amazing
8 official
9 weigh
10 sleepy
11 contestant
12 gorgeous

B

1 We travel to see many amazing things.
2 People got so excited to watch the contest.
3 The festival started as a way to attract more tourists.

C

| 보기 | 마음을 끌다   참가자들   공식적인   무게가 나가다 |

The West Coast of America has a World Championship Pumpkin Weigh-Off. Hundreds of <u>contestants</u> bring pumpkins <u>weighing</u> over 1,000 pounds. The idea of the contest began in Half Moon Bay as a way to <u>attract</u> tourists.

32 Office in the Ocean

A

1	직업, 전문직	7	tropical
2	매혹, 매료	8	retire
3	생계를 꾸리다	9	instructor
4	산호초	10	lead
5	자격을 갖춘	11	regret
6	수중에서	12	oxygen

B

1 The problem is that I can't speak English.
2 He trained for two months to become a instructor.
3 It is like being in heaven.

C

|보기| 은퇴했다	교사	열대의	생계

Steve works not in an office but in the ocean. He earns a <u>living</u> as a scuba diving <u>instructor</u> where he feels free. He used to work as a police officer but <u>retired</u> and moved from England to Indonesia.

Unit 09

33 The Languages of Luxembourg

A

1	가장 큰, 주된	7	immigration
2	살다	8	media
3	의회, 국회	9	tiny
4	유치원	10	official
5	거래, 교역	11	German
6	~와 토론하다	12	elementary school

B

1 My goals have always been simple.
2 Students study English from age six.
3 The media uses either German or French.

C

|보기| 아주 작은	주된	공식적인	사이의

Luxembourg is a small country <u>between</u> France and Germany. It uses the three <u>official</u> languages of Luxembourgish, French, and German. French and German are the <u>main</u> languages for school, government, and media.

34 Chocolate for the Soul

A

1	왕위, 왕족	7	suggest
2	~할 여유가 있다	8	per year
3	늘리다	9	bitter
4	감소시키다	10	on average
5	먹다, 마시다	11	prevent
6	~의 맛이 나다	12	blood pressure

B

1 Chocolate comes from the cacao bean.
2 Real chocolate tastes bitter like coffee.
3 Eating too much can make you gain weight.

C

|보기| 화학의	인기 있는	이익	음료

The Aztecs of South America made <u>drinks</u> from the cacao bean three thousand years ago. It became <u>popular</u> in Europe as chocolate three hundred years ago. Chocolate has some health <u>benefits</u> but also a lot of sugar.

35 The Fate of the Arctic

A

1	북극 지방	7	thick
2	거류지, 정착지	8	occur
3	꾸준히	9	opposite
4	특성, 특색	10	marine
5	야생 동물	11	affect
6	~로 구성되다	12	natural resource

B

1 This book consists of six chapters.
2 A series of unusual changes have occurred.
3 Sea ice has been steadily decreasing.

C

|보기| 지역	추운	따뜻해진	야생 동물

The Arctic is the <u>region</u> around the North Pole which includes parts of Canada, Greenland, Russia, and Alaska. Much of it is ice-covered sea and temperatures are very <u>cold</u>. It has been <u>warming</u> up in the past several decades which affects its ecosystems and wildlife.

36 The Rat Patrol

A

1	출몰, 침입	7	inspect
2	허물다	8	suspect
3	더미	9	fine
4	위협	10	province
5	~에 관한 한	11	underneath
6	순찰대, 경비대	12	neighboring

B

1 I have no plans at all for the future.
2 She can supply them with a lot of food.
3 Anyone found smoking in the building will be fined.

C

|보기| 설립했다	독	점검하다	장소들

The Canadian province of Alberta is one of the few places with no rats. Its government established a Rat Patrol to keep out rats. It supplies farmers with rat poison, tears down buildings with rats, and finds anyone with a pet rat.

Unit 10

37 Split in the Church

A

1	기독교	7	sin
2	부당하게	8	interest
3	분열	9	forgiveness
4	정책, 방침	10	loan
5	신부	11	encourage
6	~을 대신해서	12	educated

B

1 Most people could not read or write.
2 She disagreed with the final decision.
3 The bookstore located near my house is very big.

C

|보기| 자신의	죄	분열	동의하지 않았다

The Reformation was a split in the Catholic Church which created Protestantism. It was led by Martin Luther who disagreed with the Church's Policies. He wanted people to read the Bible for themselves in their own language.

38 A Sea of Salt

A

1	~에 적응하다	7	content
2	즉시, 당장	8	flow
3	강 아래로	9	float
4	세균	10	salty
5	굉장히, 엄청나게	11	extremely
6	해수면	12	surprisingly

B

1 It was such a beautiful day that we went on a picnic.
2 She is not only poor but also lazy.
3 Many people come to see the famous show on weekends.

C

|보기| 짠	흐름	뜨다	있다

The Dead Sea is salty that only bacteria can live in it. It lies between Israel and Jordan and is 420 meters below sea level. It attracts tourists who like to float easily on the sea.

39 Cheese-Rolling

A

1	의식, 풍습	7	gather
2	제멋대로인	8	steep
3	가파른	9	vertical
4	때때로	10	spectator
5	(발목 등을) 삐다	11	incline
6	뇌진탕	12	injury

B

1 Whoever breaks this law will be punished.
2 It is not clear why he left the company.
3 Even the spectators need to be careful.

C

|보기| 삐다	경쟁하다	부상을 입다	빠른

Cooper's Hill in Gloucester, England is the site of a cheese race. Men, women, and Children compete to control a large cheese roll and finish first. The cheese can roll very fast and some participants sustain injuries.

40 The World's Hottest Food

A

1 양념하다
2 측정하다
3 이기다, 제치다
4 동시에, 단번에
5 발견, 발견물
6 맛, 풍미

7 rating
8 local
9 scale
10 control
11 burn
12 chili pepper

B

1 They make your eyes water.
2 The highest mountain in the world is Mt. Everest.
3 She is too busy to eat meals on time.

C

|보기| 가장 매운	측정된	태우다	더했다

Chili peppers can <u>burn</u> your mouth and police even use them as a spray. The heat of a food can be <u>measured</u> on a Scoville scale. The Naga Jolokia pepper from India is the <u>hottest</u> in the world at 1,000,000 on the scale.

memo

THIS IS READING

전면 개정판

중등부터 고등까지 모든 독해의 확실한 해결책!

- ★ 실생활부터 전문적인 학술 분야까지 **다양한 소재의 지문 수록**
- ★ 서술형 내신 대비까지 제대로 준비하는 **문법 포인트 정리**
- ★ 지문 이해 확인 또 확인, **본문 연습 문제 + Review Test**
- ★ 정확하고도 빠른 지문 읽기 **직독직해 연습**
- ★ 원어민의 발음으로 듣는 전체 **지문 MP3** (QR 코드 & www.nexusbook.com)
- ★ 확실한 마무리 3단 콤보 **WORKBOOK**

🎧 MP3 바로가기

	초1	초2	초3	초4	초5	초6	중1	중2	중3	고1	고2	고3
Writing				공감 영문법+쓰기 1~2								
					도전만점 중등내신 서술형 1~4							
			영어일기 영작패턴 1-A, B · 2-A, B									
			Smart Writing 1~2									
Reading					Reading 101 1~3							
					Reading 공감 1~3							
					This Is Reading Starter 1~3							
						This Is Reading 전면 개정판 1~4						
						원서 술술 읽는 Smart Reading Basic 1~2						
								원서 술술 읽는 Smart Reading 1~2				
								[특급 단기 특강] 구문독해 · 독해유형				
										[앱솔루트 수능대비 영어독해 기출분석] 2019~2021학년도		
Listening						Listening 공감 1~3						
						The Listening 1~4						
						넥서스 중학 영어듣기 모의고사 25회 1~3						
						도전! 만점 중학 영어듣기 모의고사 1~3						
									만점 적중 수능 듣기 모의고사 20회 · 35회			
TEPS						NEW TEPS 입문편 실전 250⁺ 청해 · 문법 · 독해						
						NEW TEPS 기본편 실전 300⁺ 청해 · 문법 · 독해						
							NEW TEPS 실력편 실전 400⁺ 청해 · 문법 · 독해					
							NEW TEPS 마스터편 실전 500⁺ 청해 · 문법 · 독해					

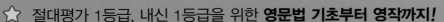